13歳からの食と農

家族農業が世界を変える

関根佳恵著

かもがわ出版

はじめに

私たちにとって「食べること」は喜びであり、また生命《いのち》をつなぐために欠かせません。みなさんは今日、何を、どこで、だれと一緒《いっしょ》に食べますか。みなさんが大人になったとき、食べものは十分あり、安全で、健康的で、文化的なものであるでしょうか。食べものを作る農村は、将来も活力に満ちているでしょうか。みなさんは日々の生活に心から満足し、幸せを感じているでしょうか。

国連は、2030年までに「持続可能な開発目標」（SDGs）を達成するための行動を各国に呼びかけています。そして、国連「家族農業の10年」（2019～28年）を設置して、家族農業による持続可能な食と農の営みを促《うなが》すことで、SDGsを実現できると唱えています。すでに、欧州《おうしゅう》連合（EU）やその加盟国等では、未来の食と農のあり方を実現するための動きが始まりました。

なぜ、家族農業はSDGsの要だといわれるようになったのでしょうか。貧困や飢餓《きが》、気候変動、エネルギー問題等、私たちを取りまく課題は山積しています。その課題を解決するカギが家族農業にあるというのです。どういうことなのか、これから本書で探っていきましょう。

もくじ　13歳からの食と農　家族農業が世界を変える

はじめに　3

第1章　食卓から考える農業のかたち……9

❶ 多様化する現代の食　12
食品と料理の多様化／農業生産者と産地の多様化／食品の加工形態の多様化／食事の形態の多様化

❷ 食をめぐる新たな課題　17
食品ロスの増加／食料自給率の低下／食品安全と健康問題／気候変動とエネルギー問題／農業生産者の高齢化と減少／農村地域の衰退／農業の多面的機能の低下

❸ 持続可能な食と農はSDGsの基礎　29

第2章　なぜ今、家族農業が注目されるのか？ …… 33

❶ 国際社会がパラダイム転換　36
注目される家族農業／見直される価値観／持続可能な食と農へ／パラダイム転換が起きた

❷ 農業近代化と新自由主義への反省　41
農業近代化―環境への影響―／農業近代化―社会への影響―／農業近代化―経済への影響―／農業近代化をのりこえて／貿易自由化の弊害／新自由主義の台頭と抵抗運動

❸ 歴史を動かした農民運動と市民運動　50
農民運動と市民運動の盛り上がり／科学者たちが後押し／国連にも改革の波が／さぁ、日本はどうする？

第3章　家族農業とは …… 55

❶ 家族農業の定義　58
日本政府による定義／国連による定義／小規模農業と農民（小農）／家族農業

の特徴
❷ 家族農業はどのくらい重要？ 63
家族で営む農業、漁業、畜産、林業／世界各地の多様な家族農業／統計の課題
❸ 家族農業の「効率性」 68
土地生産性／労働生産性／エネルギー効率性／社会的効率性

第4章 なぜ家族農業はSDGsのカギなのか？……77

❶ 貧困と飢餓からみた家族農業 80
❷ 家族農業の可能性 82
SDGsと家族農業に期待される役割／食料供給と多面的機能
❸ 生態系と人間の共生 87
土壌の微生物と私たち／人間の体と微生物／土壌を守れ！／アグロエコロジー
の担い手としての家族農業経営

第5章 家族農業の課題をのりこえれば新しい社会がみえてくる……95

❶ 中高生の将来の夢とは 98

❷ 農家の所得安定 100
減少する生産農業所得／農家の所得は本当に低い？／農家の所得安定のために
❸ 変わる社会的評価 104
農業はなぜ3Kといわれる？／都市のオフィスから農村の田畑へ向かう
❹ 学歴社会を脱して新たなモノサシをみつける 107
日本の学歴社会がもたらしたもの／フランスの若者と農業
❺ 新しい家族関係を築く 109
今も続く家父長制／女性が農村や農業を離れる理由／新しい家族関係にむけて
❻ 地域社会と生活条件の再生 112
伝統的な風習と変化の兆し／都市と農村の格差／鳥獣害と災害
❼ 当事者の声で新たな政策をつくろう 116

第6章 新しい家族農業にむけて

第6章 新しい家族農業にむけて……119
❶ だれもが農的暮らしをできる社会に 122
農業に魅せられる人の環が広がっている／農業を学ぶ場をつくろう
❷ 循環型のアグロエコロジーへの転換 126
さまざまな課題を解決するアグロエコロジー／国連がアグロエコロジーへの転

換を呼びかけ／動き出した欧州
❸ 次の世代にバトンをつなぐために 130
農業をあこがれの仕事に／新しい家族のかたちと支える仕組み
❹ 消費者と生産者の連帯と融合 133
農家を支える消費者／生産者になることを選ぶ消費者
❺ 食と農から始まる社会システムの転換 136
東京一極集中から地域自給圏へ／自分自身が変わるということ
おわりに 140
あとがき 142
主要参考文献 143

第1章　食卓から考える農業のかたち

さぁ、給食の時間がきました。

「わたし、サバのみそ煮《に》、大好き。おいしい〜♪」

「作ってくれている人たちに感謝しなきゃね」

「野菜はちょっと苦手だけどね……」

「うちは親せきが農家だから、いつも新鮮《しんせん》な野菜やお米をもらうよ」

「でも、農業って、たいへんなお仕事なんでしょ。後継《あとつ》ぎがいないって聞くし」

「うちは、家族でベランダ菜園をやっているよ。このあいだはナスができたよ」

「確かに、野菜にもいろいろあるよね。うちは便利な冷凍《れいとう》野菜をよく使ってるわ」

「最近では、ＬＥＤを使って野菜を育てる植物工場が増えているらしいよ」

「ふーん、ひとことで農業といっても、いろんな農業があるんだ」

「みんな、よく気がついたね。先週、授業で国連の持続可能な開発目標（ＳＤＧｓ）について習ったよね。ちょうどいいから、ＳＤＧｓの視点でこれからの農業と食生活について考えてみようか」

❶ 多様化する現代の食

みなさんはどんな食べものが好きですか。今日はどんな食事をどこで、だれと一緒《いっしょ》にとりますか。

今、私たちをとりまく食のあり方が多様化しています。みなさんのおじいさん、おばあさんの若いころ、「一汁三菜《いちじゅうさんさい》」などの和食を家庭で家族ととることが今よりも一般《いっぱん》的でした。ご飯とみそ汁《しる》、それに近海で獲《と》れた魚、野菜の煮物《にもの》、自家製の漬物《つけもの》などです。それから数十年がたち、現代の食卓《しょくたく》はどのように変わったでしょうか。

●食品と料理の多様化

第一に、食品・料理の種類が増えました。以前は、主食といえばご飯（コメ・雑穀《ざっこく》）、うどん、そばなどでしたが、今はパン、パスタの割合が高くなりました。野菜はハクサイ、ダイコン、ニンジンだけでなく、パプリカ、ズッキーニなどの西洋野菜があります。果物もリンゴ、ミカン、カキに加えて、マンゴー、パパイヤ、マンゴスチンなどをスーパーでみかけます。同様に肉類や魚介《ぎょかい》類の種類も増えました。料理も和食、洋食、中華《ちゅうか》だけでなく、タイ料理、ベトナム料理など、世界中の料理を味わうことができます。

この背景には、**グローバル化**の進展があります。特に、日本では１９８０年代後半から農産物の貿易自由化が進み、外国産のめずらしい農産物がたくさん輸入されるようになりました。

また、モノだけでなく、ヒトの移動も以前より自由になり、日本で多くの外国人がインド料理、ベトナム料理などのレストランを経営するようになりました。外国人労働者も身近になり、私たちの食卓も多国籍《たこくせき》化しています。

●農業生産者と産地の多様化

このグローバル化により、第二に、私たちに農産物を供給する生産者と産

スペイン料理　パエリア

和食　一汁三菜

中華料理

インドカレーとナン

地も多様化しました。昔は、多くの人が自分で農産物を作ったり、家族や親せきが作ったりしていました。工業化が進んで農業に従事する人の割合が減ると、多くの人にとって農産物は作るものから買うものになりました。そして、グローバル化によって農産物の産地は地元から国内の他産地へ、さらに外国へと移り変わり、食卓《しょくたく》からますます遠くなっていきました。

高度経済成長期に所得の高い国になった日本では、農産物価格が他の輸出国より高い傾向《けいこう》にあることなどから、グローバル化の中で安い輸入農産物は一気に増加しました。これによって、国産の農産物は厳しい価格競争に直面し、多くの農業生産者の経営は悪化しました。そのため、後継《こうけい》者がみつからず高齢《こうれい》化が進み、農業を引退する人が増えています。

一方で、家族が経営する中小規模の農業生産者

植物工場　エアドームの中で土を使わずレタスなどを育てる

は苦境にありますが、他方で、一部の企業《きぎょう》は農業にビジネス・チャンスをみいだして参入しています。気温や湿度《しつど》、二酸化炭素濃度《のうど》などを管理できる植物工場の建設、人工知能（ＡＩ）や情報通信技術（ＩＣＴ）、ロボットを使った農作業管理、無人トラクターの走行も実用化されています。自然条件に左右される農業を完全にコントロールすることは、これまで不可能と考えられてきましたが、新しい技術を使えば「畑は工場になる」と考える企業もあります。これを「**農の工業化**」とよびます。

この流れとは別に、一般の消費者も農業に興味を持ち、家庭菜園や市民農園で野菜づくりをしたり、家族で田植えや稲刈《いねか》り体験を楽しんだりする人も増えてきました。もっと気軽にベランダやキッチンでハーブやミニトマトなどを育てる人もいますね。このように、私たちを取りまく食と農は多様化しているのです。

稲刈り後の天日干し「はさがけ」体験

●食品の加工形態の多様化

第三に、私たちが口にする食品の姿、つまり加工形態も変化しています。「一汁三菜《いちじゅうさんさい》」の食事が今より一般《いっぱん》的だったころは、近所の八百屋さんや米屋さん、魚屋さんなど、専門小売店で生鮮《せいせん》食品を買い、自宅で家族が調理していました。加工食品といえば、乾物《かんぶつ》や塩漬《づ》け、発酵《はっこう》食品、そして缶詰《かんづめ》でした。

今はどうでしょうか。おそうざい、お弁当、冷凍《れいとう》食品、レトルト食品、即席麺《そくせきめん》などが種類豊富にあります。いずれも調理の手間を省いてすぐに食べられるもので、「食の簡便化」とよばれます。また、食品の加工度がきわめて高くなり、人工的に味や香り、風味をつけることもできるようになっています。今や食品は工業製品のように均質につくられるようになりました。これを「**食の工業化**」といいます。

●食事の形態の多様化

第四に、日々の食事の形態も変わりました。私たちはどこで、何時に、だれと、何を食べているでしょうか。以前は、自宅でほぼ定時に家族と手作りの料理を食べる「内食」が多かったのですが、今はレストランなどの「外食」や、出来合いのおそうざい・お弁当を買ってきて自宅で食べる「中食」が増加しています。内食に対して中食・外食の割合が増加することを、「**食の外部化**」といいます。家族そろって食事をすることはまれになり、それぞれの仕事や学校、塾《じゅく》、習い事の時間に合わせて一人で食事をする「孤《こ》食」や「個食」もふつうにみられるようになりました。朝食などを食べない「欠食」、スナックや栄養ドリンク、サプリメントを食事に置きかえることも、特に若い世代で増えています。

この「食の外部化」は、よく女性の社会進出によって説明されます。つまり、これまで買い物や調理、後片づけをしていたお母さんが仕事を持つようになり、忙《いそが》しくなったために調理済み食品ですませるようになったというものです。確かに一面では当たっていますが、もう一面からみると、食品メーカー（製造業）や卸《おろし》売業者（流通業）、スーパーマーケット（小売業）等が新たな需要《じゅよう》に対応し、ときには新たな需要を呼び起こして、新商品を次々と市場に投入してきた結果ともいえます。アグリビジネスと呼ばれるこれらの企業は、ときに海外から農産物・食品を調達する世界規模の流通網《もう》（グローバル・サプライチェーン）を発達させてきました。

❷ 食をめぐる新たな課題

私たちが毎日食べている食事は、わずか２～３世代の間にこんなに大きく変化したのですね。選べるものが増えたり、便利になったり、よいことが多いようにもみえますが、実は、こうした変化の陰《かげ》には、手放しで喜べないこともたくさんあります。

●食品ロスの増加

みなさんは、家庭や学校で「食べものを残してはいけないですよ」と言われてきたと思います。日本では、昔から「もったいない」といって、野菜の皮をおつけものにしたり、炒《いた》めてキンピラにしたり、工夫して捨てずに食べてきました。

でも、今は飽食《ほうしょく》の時代になり、私たちは、毎日たくさんの食べものを捨てながら生きています。賞味期限や消費期限が切れてしまったり、スーパーマーケットの安売りでつい買いすぎて、使いきれずくさらせてしまったり。スーパーマーケットやコンビニエンスストアのおにぎり、お弁当、おそうざいなどは、まだ食べられる状態でも、売れ残りを定時に捨てるルールがあります。レストランや居酒屋さん、結婚《けっこん》式場などでは、いつもお客さんの食べ残しが出てしまいます。

まだ食べられるのに捨てられてしまう食品、いわゆる「**食品ロス**」は、日本だけでも年間612万トン（2017年）にのぼります。これは、世界で飢《う》えに苦しむ人たちへの食料援助《えんじょ》量の1・6倍に当たります。このうち約半分は家庭で捨てられたものです。私たちが毎日、一人お茶わん1杯《ぱい》分のご飯を捨てている計算になります。また、農産物を作りすぎたため畑で廃棄《はいき》したり、流通の過程で傷んだため捨てられたりするものもあります。地球上で生産されている農産物の約3分の1が、消費者に届く前に捨てられているという推計もあります。世界の人口のうち、飢えに苦しむ人が11人に1人いるのに、本当にもったいないことですね。

私たちがこんなに多くの食品を捨てるようになったのは、産地と消費地が離《はな》れてしまったこと、外食や中食が増えてきたこと、食の簡便化にともなって食に対する感謝の気持ちが薄《うす》らいでしまったことと関係しています。つまり、グローバル化と農と食の工業化が生み出した負の側面です。

●食料自給率の低下

グローバル化の下で海外から輸入される食料が増えることは、私たちの生活にどのような影響《えいきょう》をおよぼしているでしょうか。

日本の食品ロスの状況（2017年度）

資料：総務省人口推計(2017年10月1日)
2017年度食料需給表(確定値)

日本に供給される食料のうち、どのくらいを国産でまかなえているかを示す指標として「食料自給率」というものがあります。特に、全食料を供給熱量（カロリー）に換算《かんさん》して示したものを「カロリーベース総合食料自給率」とよび、農林水産省が毎年公表しています。１９６５年に73％あったカロリーベース総合食料自給率は、２０１８年には37％と大幅《おおはば》に低下しています。先進国の中でも、**日本の食料自給率の低さ**は際立っています。日本は食料純輸入国になっているのですね。

日本に食料を輸出している国が、いつまでも安定的に食料を供給してくれるとは限りません。そのことを、身をもって体験する出来事がありました。２０２０年の新型コロナウイルスの世界的流行（パンデミック）です。感染予防のためのマスクや治療《ちりょう》のための人工呼吸器が不足し

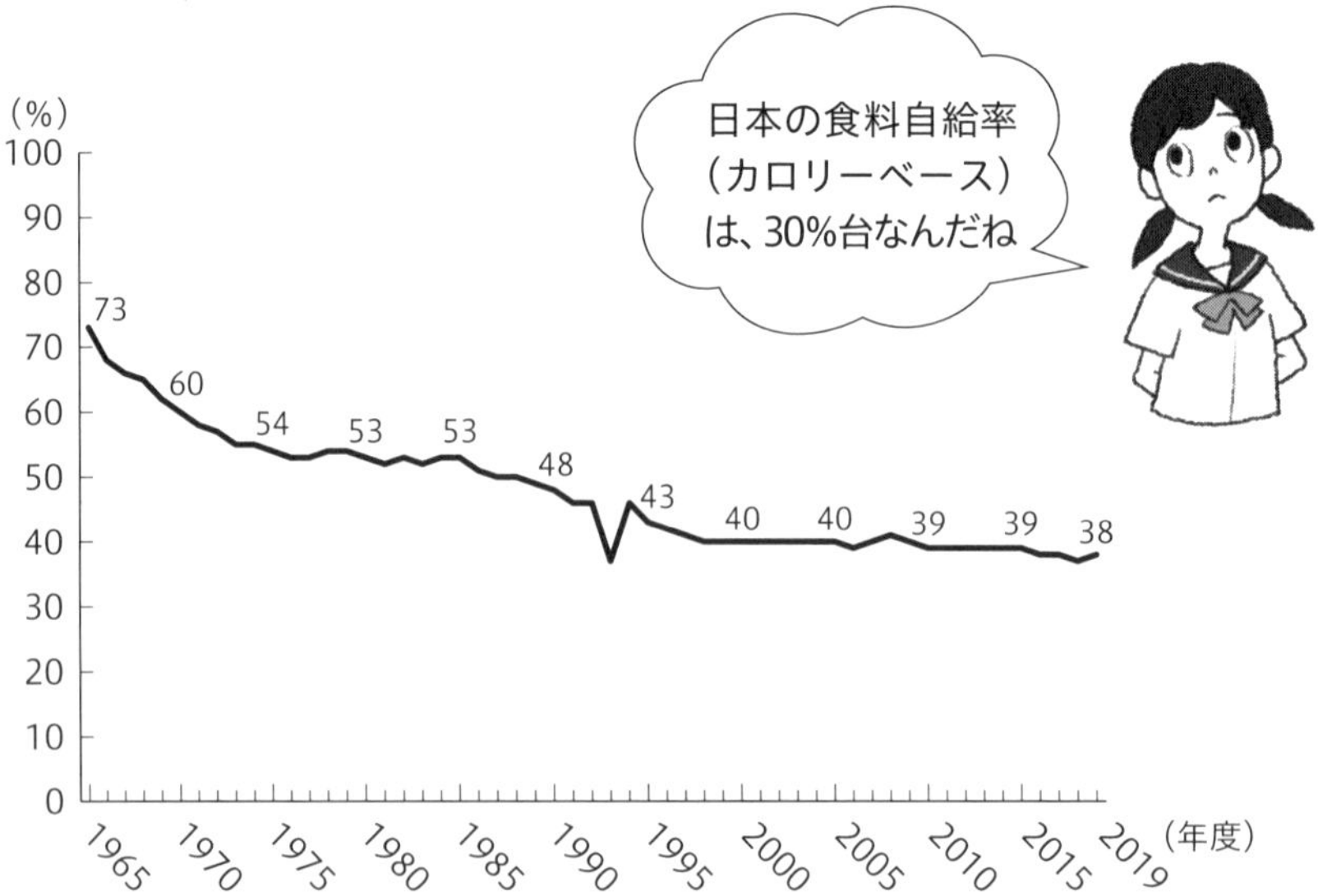

図1-1　カロリーベース総合食料自給率の推移

資料：農林水産省統計より作成。

ましたが、感染拡大や外出自粛《じしゅく》などによって農業生産や流通、販売《はんばい》にも大きな影響が出ました。同時期にサバクトビバッタの大群が発生し、世界各地の農作物が食害にあったことも重なり、世界的に飢《う》えに苦しむ人たちが急増すると国連は警鐘《けいしょう》を鳴らしました。こうした事態を受けて、ロシアやウクライナ等の国は、国内消費を優先するために、小麦などの食料輸出制限をしました。実は、こうした貿易制限措置《そち》は、２００８年の世界食料危機のときにも発動されました。「お金さえあれば、食料を輸入できる」という思いこみは、そろそろ見直すべきでしょう。どんな事態になっても、生命《いのち》をつなぐために欠かせない食料を確保できるように、輸入食料への依存《いぞん》は見直す必要があります。

●食品安全と健康問題

私たちが日々とる食事は、私たちの健康に直接影響《えいきょう》をあたえています。食品が微《び》生物に汚染《おせん》されていれば、食中毒が発生します。他にも、食品には保存料や着色料、発色剤《ざい》、香料などの食品添加《てんか》物や原料農産物の農薬などがふくまれている場合があります。それらの化学合成物質の中には、長期間、一定量以上をとることで発がん性を持つものもあります。これもまた、農と食の工業化がもたらした負の側面といえるでしょう。健康的な食事をとるためには、加工度の高い食品を減らして、新鮮《しんせん》な地元産の農産物を選ぶことを国連も勧《すす》めています。

さらに、私たちの食事が高カロリーな油脂《ゆし》やタンパク質、炭水化物にかたよってしまうと、肥満や糖尿病《とうにょうびょう》などの慢性疾患《まんせいしっかん》にかかる可能性が高まります。こうした食事のかたよりは、加工食品や外食の割合が増えることで生じやすくなります。世界保健機関（WHO）によると、世界の11人に1人が慢性的な栄養不足に直面していますが、成人の10人に4人は過体重に悩《なや》んでいます（2016年）。また、子どもの肥満も増加しています。世界の食料の分配のあり方を正せば、こうした問題は解決できるはずです。

●気候変動とエネルギー問題

最近、気象災害が頻発《ひんぱつ》しています。巨大《きょだい》な台風や集中豪雨《ごうう》によって水害や土砂崩《くず》れが起きて、民家がのみこまれ、尊い生命が奪《うば》われたというニュースを、みなさんも耳にしたことがあると思います。

長野県北部地震（2011年）による土砂崩れ

海外では、大規模な干ばつや山火事によって農地や住む場所がなくなり、森林も失われています。海の中でも、サンゴが白くなる白化現象が起きたり、養殖《ようしょく》のホタテやカキが大量死したりしています。先述のサバクトビバッタのような昆虫《こんちゅう》の大発生もいたるところで起きています。

こうした現象の多くは、人間の活動によって排《はい》出《しゅつ》される温室効果ガスの増加による地球温暖化、つまり気候変動に関わりがあると考えられています。気温の上昇《じょうしょう》だけでなく、異常気象の発生や生態系のバランスが崩れることによって起きているのです。実は、人間が排出している温室効果ガスの約３分の１は、農業やグローバルな食料システムに由来しています。農業というと環境《かんきょう》にやさしいイメージがあるかもしれませんが、農法によっては環境に負荷をかけている場合もあるのです。

日本では、農業を営む人が減ってしまいました。

九州北部豪雨（2017年）の被害

そのため、できるだけ労働力を節約する、つまり省力型の技術が歓迎《かんげい》されています。スマートフォンやタブレット端末《たんまつ》で環境制御《せいぎょ》できる植物工場や無人走行トラクターなどです。

しかし、今ふり返ってみれば、このような新しい技術を追い求めるとき、私たちは気候変動への影響《えいきょう》や限りあるエネルギー資源のことを、十分考えてきませんでした。大型の施《し》設《せつ》や機械を動かすためには、どうしても大量の化石燃料や電気が必要になります。また、施設や機械を製造するためにも、その原材料を輸入するためにも、さらには使用後に廃棄《はいき》するためにも、大量のエネルギーを必要とするのです。さらに、地元でとれた農産物を食べるよりも、地球の反対側から輸入した加工食品を食べる方が、多くのエネルギーを消費してしまいます。21世紀においては、エネルギー効率性の低い農業や食料消費のあり方を見直し、環境的にも持続性の高い農と食のあり方を探していく必要があります。

●農業生産者の高齢化と減少

今、日本では社会全体で少子高齢《こうれい》化が進んでいます。みなさんは何人きょうだいですか。お父さん、お母さんは、おじいさん、おばあさんは何人きょうだいでしょうか。日本の年間出生数は、第1次ベビーブームには約270万人、第2次ベビーブームには約210万人でしたが、2016年には100万人を割りこみました。人口も2010年ごろから減少し始め、高齢化率（人口に占《し》める65歳《さい》以上の割合）は28・4％（2019年9月）になりました。

農家人口の高齢化率は、もっと高く45・2％（2019年）です。農業就業人口の高齢化率は、なんと70・2％（2019年）にのぼります。山地や離島《りとう》では、さらに高くなる傾向《けいこう》があります。65歳といえば、企業《きぎょう》では定年退職を迎《むか》える年齢です。いくら農家の方たちががんばっても、あと何十年も農業の現場に立ち続けることは難しいでしょう。新しく農業を始める新規就農者では、49歳以下の割合が37・3％（2017年）となっていますが、全体では新規就農者よりも離農《りのう》者の数が上回っています。その結果、農業就業者数は、2010年から2019年にかけて35・5％も減少しました。

そして、耕作されなくなった農地（耕作放棄《ほうき》地）が増え、全体の約1割、富山県ほどの面積になっています（2015年）。食料自給率の低さに悩《なや》む国で農地が棄《す》てられているのは、なんだか不思議

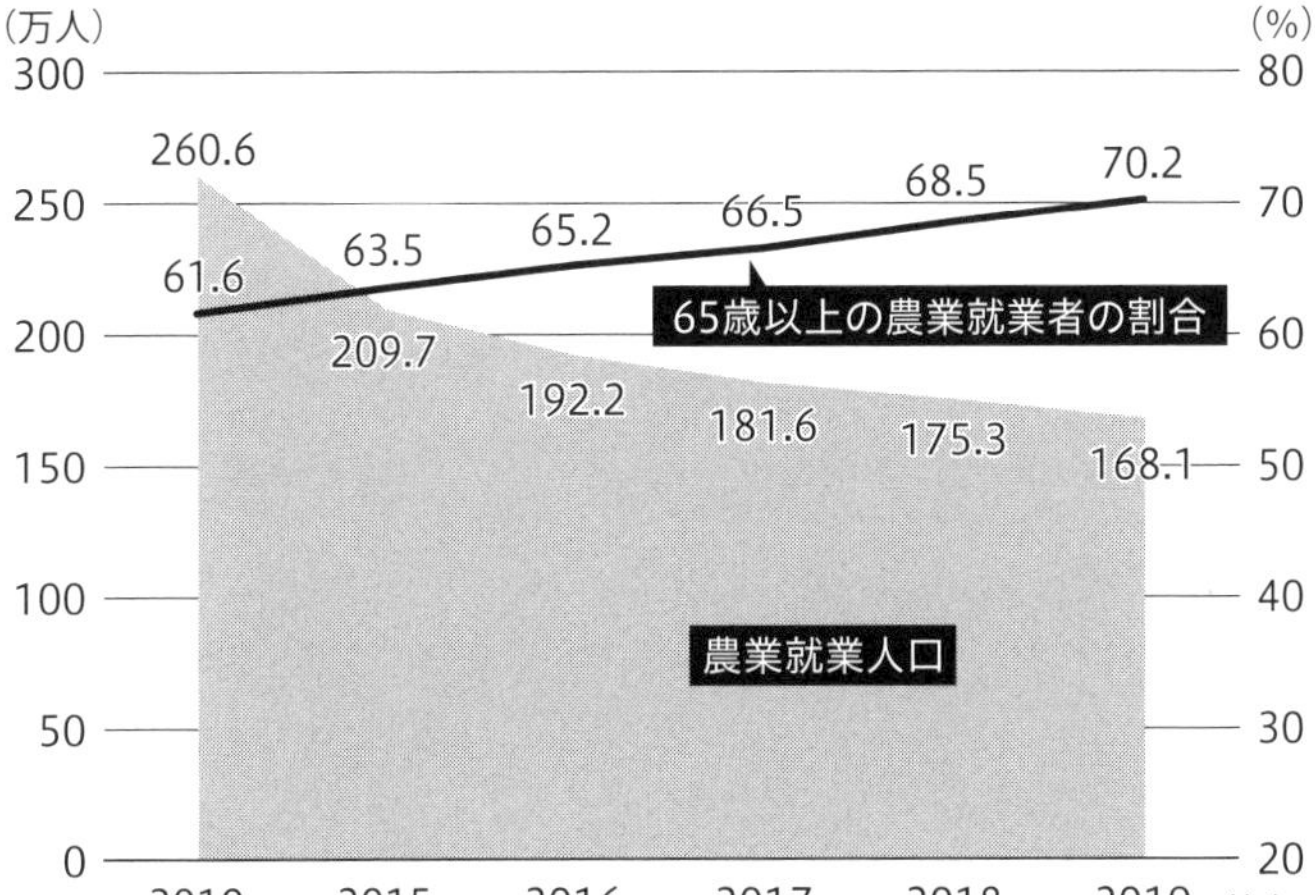

図1-2　農業就業人口と農業就業人口の高齢化率

資料：農林水産省「農業労働力に関する統計」より作成。

ですね。

なぜ、日本では農業生産者が減少し、高齢化しているのでしょうか。確かに、他の先進国でも、経済成長をとげると国内総生産（ＧＤＰ）や就業人口に占める農業の割合は低下する傾向があります。それでも、日本ほど農業生産者が高齢化している国は他にありません。

背景には、戦後の日本が家電製品や自動車、金融《きんゆう》サービスなどを輸出し、稼《かせ》いだ外貨で海外から食料を輸入するという経済モデルを優先してきたことがあります。でも、私たちは高価な車やパソコンをかじって空腹を満たすことはできません。私たちの健康や安定した暮らしを守るためには、国内で食料を調達できるように必要な政策を整える必要があります。

●農村地域の衰退

農業生産者が高齢《こうれい》化し減少すると、農村地域の暮らしにも大きな影響《えいきょう》があります。日本の農業は主食であ

水田の畔《あぜ》は定期的に草を刈る必要がある

るコメの生産が中心ですが、水田稲作《いなさく》には水路の管理、田んぼの畔《あぜ》の草刈《くさか》りなどの共同作業が必要です。昔は、田植えや稲刈《いねか》りも地域総出で助け合っていました。今は機械化によって共同作業は減りましたが、水路や畔の管理は農業生産者だけではできません。ところが、高齢化や人口減少によってこうした共同作業をすることが困難になり、農業を続けることができない地域が増えています。

人が減ると山からイノシシやシカ、サル、クマ、鳥などの野生動物が下りてきて、農作物を食べてしまったり、ときには人を襲《おそ》ったりすることもあります。また、農村では集落ごとに伝統的なお祭りや行事を行ってきましたが、近年では若い人が減って、お祭りや行事を中止せざるを得ない地域が増えています。

首都圏《けん》や三大都市圏への人口集中は、農村の過疎《かそ》化をもたらしました。確かに、都会は交通の便がよく、医療《いりょう》や教育、就業機会、さまざまな文化イベントに恵《めぐ》まれているかもしれません。しかし同時に、新型コロナウイルスのような感染症《しょう》が蔓延《まんえん》しやすく、ストレスが多く、環境負荷が高い暮らし方であるという側面もあります。今、私たちの社会全体をみわたして、暮らし方をふくめて、食と農のあり方をデザインし直す時期にきているようです。

●農業の多面的機能の低下

農業を担う人たちが高齢化し、減少してしまうと、国内で必要とされる食料を安定的に供給することが難しくなりますが、農業の役割は食料を供給することだけではありません。実は、農業にはたくさんの機能があります。これを総称《そうしょう》して、「**農業の多面的機能**」とよんでいます。

具体的には、中山間《ちゅうさんかん》地域（山間地域と中間地域）の棚田《たなだ》に水が蓄《たくわ》えられ、少しずつ地下水や河川となって下流に流れ、やがて海に至ります。この水源かん養という機能によって、大雨が降っても河川の氾濫《はんらん》や土砂崩《くず》れが起きにくくなり、国土保全や防災に役立っています。

さらに、田畑には農作物以外にもミミズやカエル、アメンボ、チョウ、ハチ、カマキリなどの昆虫《こんちゅう》、それをエサにするトカゲや小鳥、ネズミなどの小動物が生態系をつくっています。農業が維持《いじ》されることで守

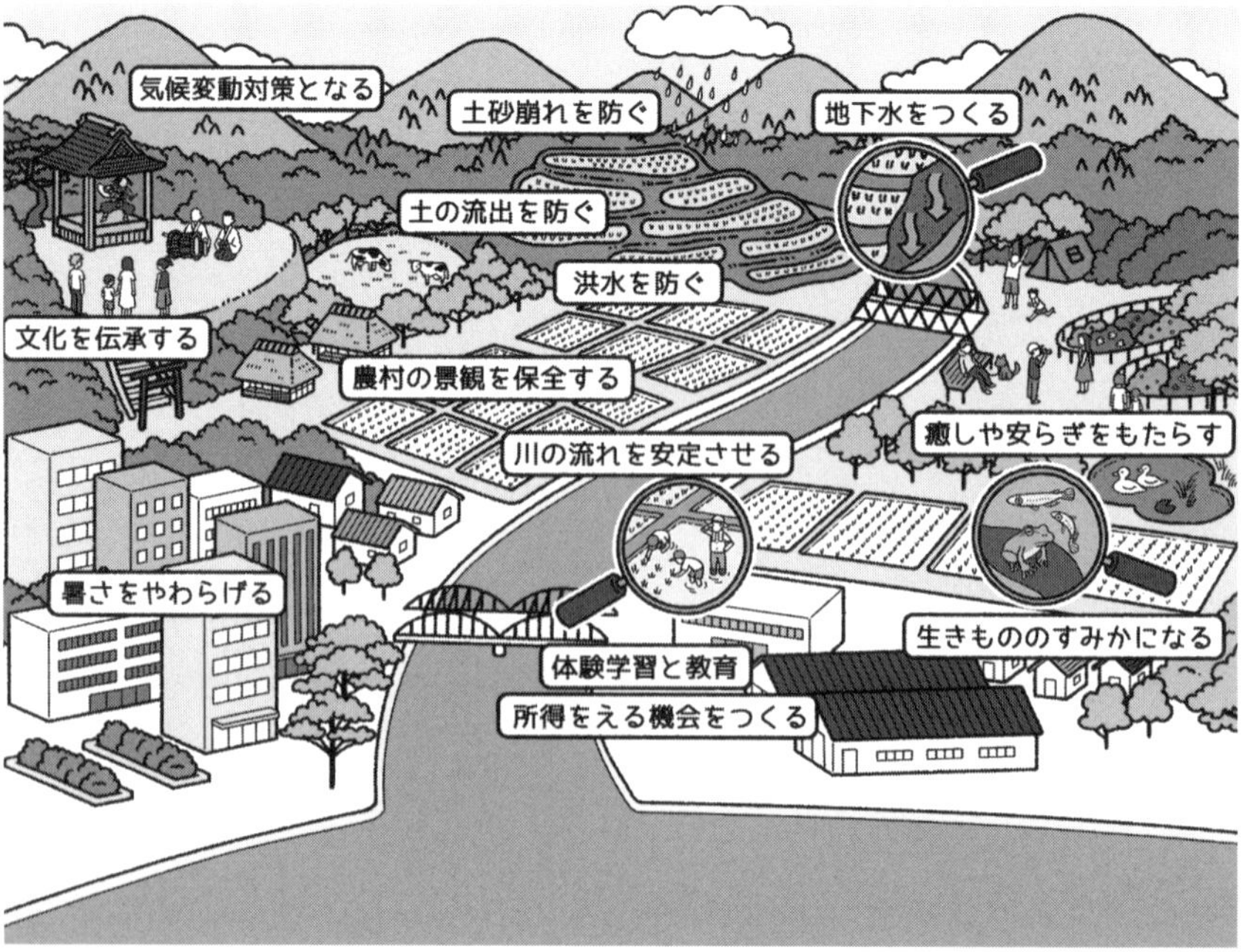

図1-3　農業の多面的機能

られる環境や生物多様性があるのですね。農業は、有機農業などの農法を採用すれば、温室効果ガスを土壌《どじょう》の中に固定できることも分かっています。気候変動対策にも貢献《こうけん》できる可能性があるということですね。

また、地域で農業が営まれることで美しい田園風景が維持され、農村や体験農場などを訪れて楽しむさまざまなレクリエーション活動によってもたらされる保健休養効果もあります。地域に伝わる伝統食や農耕と結びついたお祭りなどの文化を継承《けいしょう》する役割もあります。さらに、就業機会が少ない農村地域では、農業が重要な所得を得る機会を提供しています。つまり、地域の活性化にとって農業は欠かせない存在になっているのです。

農業が衰退《すいたい》してしまうと、このさまざまな機能を発揮することもできなくなってしまいます。農業の衰退は、農業で生計を営む人たちだけでなく、私たち一人ひとりの暮らしと社会の安定に大きな影響をあたえます。みんなが自分の問題だという意識をしっかりと持って、食と農について考えなければなりません。

❸ 持続可能な食と農はＳＤＧｓの基礎

国連は、２０１５年９月にニューヨークで「国連持続可能な開発サミット」を開き、「我々の世界を変革する：持続可能な開発のための2030アジェンダ」（通称：2030アジェンダ）という行動計画を全会一致《いっち》で採択《さいたく》しました。この中で掲《かか》げられた目標が、**「持続可能な開発目標（SDGs）」**（2016〜30年）です。

SDGsは、貧困・飢餓《きが》の撲滅《ぼくめつ》などを掲げたミレニアム開発目標（MDGs）（1990〜2015年）の後継《こうけい》であり、環境問題の解決や社会的公正性の視点を加えて、17の大目標と169の小目標で構成されています（図1−4）。MDGsでは発展途上《とじょう》国に対する支援《しえん》に主眼があったのに対して、SDGsは先進国もふくめて地球全体のあるべき未来のために策定されました。

SDGsの成立で中心的な役割を果たしたのは、アメリカやヨーロッパの先進国、中国やブラジル等の新興国ではなく、コロンビアやグアテマラといった中南米の発展途上国だったことも、新しい時代の幕開けを示しました。途上国は先進国の経済発展モデルを追いかけるのではなく、持続可能な新たな社会を築くという意思を感じ

図1-4　国連の持続可能な開発目標（SDGs）の17の大目標

実際はとてもカラフルなアイコンです

資料：国連広報センター

ます。

ＳＤＧｓの17の大目標は、持続可能な社会に必要な３つの基礎《きそ》分野、つまり社会分野、経済分野、環境分野、そしてその３分野すべてに関わる横断的分野で構成されています（図1-5）。17の大目標は、ひとつずつ別々に取り組むというより、社会の仕組みを根本的に転換《てんかん》することで同時に進めることが求められます。そのためには、私たちの意識改革から始めなければなりません。

ＳＤＧｓの基本理念では、「だれひとり取り残さない」というスローガンが掲げられています。持続可能な社会に移行するための改革において、女性や若者、貧困世帯、少数民族や障害者等の社会の中で排除《はいじょ》されがちな人たちが置き去りにされないようにすることを明確に宣言しているのです。

そして、２０３０アジェンダの宣言文では、私たちが「地球を救う機会を持つ最後の世代」になるかもしれないとした上で、特に子どもや若者は変革にむけた行動をする無限の力を持った重要な主体だと位置づけています。人類と地球の未来は、まさにみなさんの手の中にあるのです。

ところが、２０２０年現在、ＳＤＧｓの取り組みは予定より遅《おく》れてお

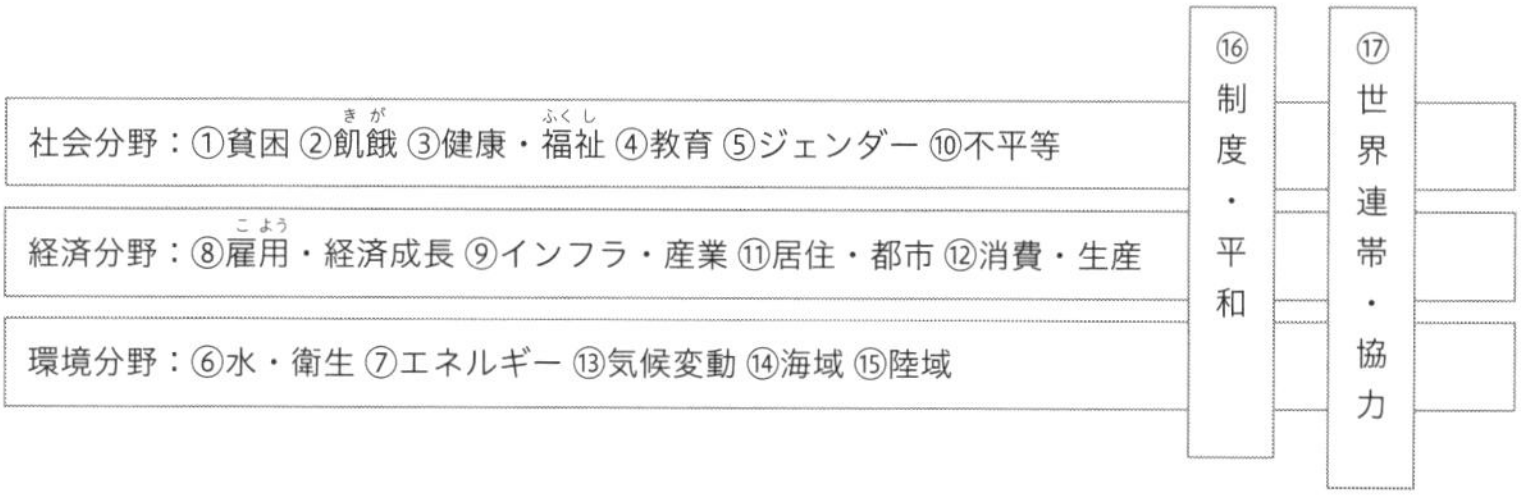

社会分野：①貧困 ②飢餓《きが》 ③健康・福祉《ふくし》 ④教育 ⑤ジェンダー ⑩不平等
経済分野：⑧雇用《こよう》・経済成長 ⑨インフラ・産業 ⑪居住・都市 ⑫消費・生産
環境分野：⑥水・衛生 ⑦エネルギー ⑬気候変動 ⑭海域 ⑮陸域
⑯制度・平和
⑰世界連帯・協力

図1-5　SDGsの基本３分野（社会・経済・環境）と横断的分野
資料：古沢（2020）を参考に著者作成。

り、重要な目標である飢餓《きが》をゼロにするという目標も達成が困難とみられています。SDGsの取り組みを加速化し、2030年までにすべての目標を達成するために、国連は2020年1月からの10年間をSDGs達成のための「行動の10年」(2020~30年)と定めました。この期間は、ちょうど気候変動対策のための国際社会の枠組《わくぐ》みであるパリ協定の取り組み期間と重なります。

SDGsの目標1は「貧困をなくそう」、目標2は「飢餓をゼロに」です。その他にも、「健康と福祉《ふくし》」(目標3)、「クリーンなエネルギー」(目標7)、「気候変動対策」(目標13)、「海の豊かさ」(目標14)、「陸の豊かさ」(目標15)をはじめとして、食と農に関わるものが多くを占《し》めていることが分かります。そして、このSDGsの目標達成に貢献《こうけん》できる農業として、新たに期待されているのが「家族農業」です。国連は、家族農業こそ持続可能な食と農をつくる未来の農業だと考えています。そのため、2014年を国際家族農業年、2019~28年を国連**「家族農業の10年」**と定めました。それでは、なぜ家族農業は持続可能な開発目標に貢献できると考えられているのでしょうか。家族農業とはいったいどのような農業なのでしょうか。本書でひもといていきましょう。

第2章　なぜ今、家族農業が注目されるのか？

「ご飯できたよ〜」

「今日はカレーだ！」

「お父さんのカレー、いつもおいしいよね」

「いただきまーす♪」

「ねぇ、今日、給食のときに農業の話になってね。先生が国連のSDGsや『家族農業の10年』について教えてくれたよ」

「そういえば、国連『家族農業の10年』が2019年から始まったって、新聞で読んだわ」

「そう、世界的には家族農業の価値を再評価したり、支援《しえん》を強化したりしているんだ。日本では農業の大規模化や企業《きぎょう》化を進めてきたんだけど、

これから変わるかもしれないなぁ」

「今は外国からの輸入品に頼《たよ》りすぎだと思うわ。農家さんが高齢《こうれい》化して、農業をやめる人も多いというし、本当に将来が心配ね」

「私たちの毎日食べているお米や野菜、卵、お肉、それに乳製品をつくる人がいなくなったら、みんなとっても困るよ。生きていけないもの」

「お魚を獲《と》ってくれている漁師さんも忘れないでね」

「キノコやタケノコ、山菜、それに家を建てる木材をつくってくれている林業も大事だよ」

「本当だね。でも、どうして今になって家族農業があらためて注目されているの」

「それじゃあ、少し説明しようか。お父さんの得意分野だ」

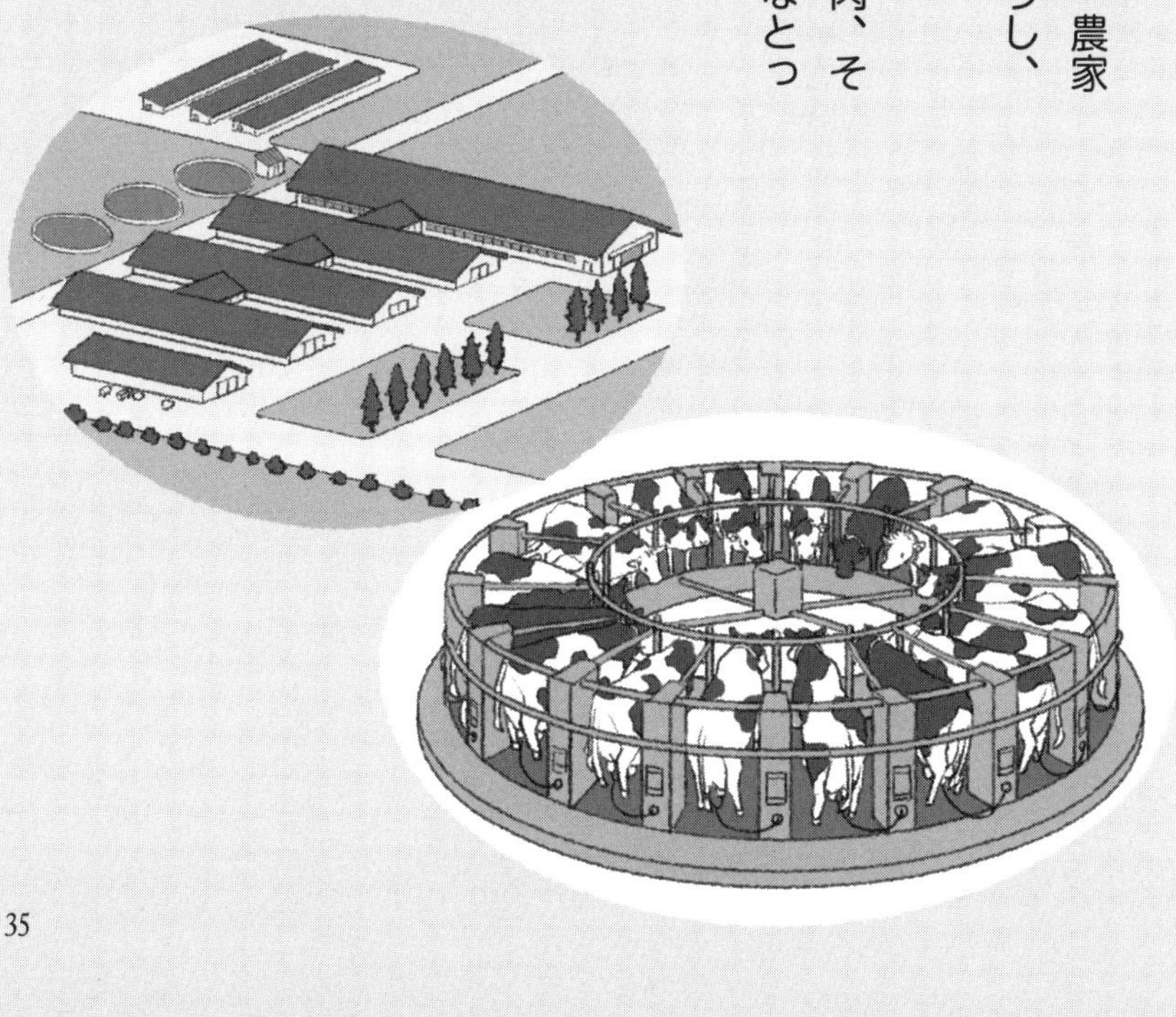

❶ 国際社会がパラダイム転換

●注目される家族農業

今、世界的に家族農業に注目が集まっています。ニューヨークの国連総会が2014年を「国際家族農業年」と定めたことは象徴《しょうちょう》的でした。さらに国連総会は、これを10年間延長し、2019~28年を国連「家族農業の10年」とすることを全会一致《いっち》で決めました。日本政府もこの動きを後押《あとお》ししています。

家族農業については次章でくわしく説明しますが、ここでは家族で経営する農業をイメージしてください。家族農業は比較《ひかく》的小規模な農業です。日本では経営の大規模化や企業《きぎょう》が経営する農業を推進していますので、国際的な流れを不思議に思うかもしれませんね。

●見直される価値観

それでは、いつごろから家族農業の価値は再評価され始めたのでしょう

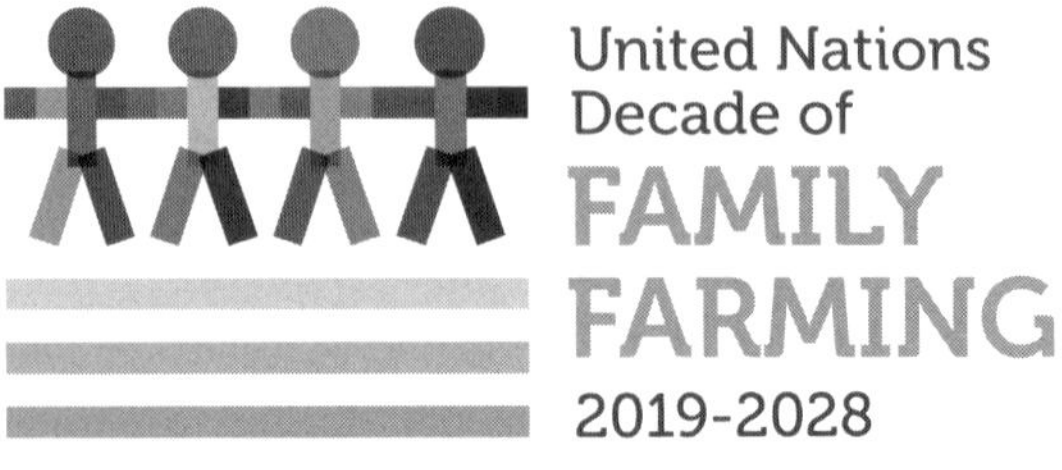

図2-1　国連「家族農業の10年」の公式ロゴ

か。表２－１をみてみましょう。２０００年代後半に起きた世界的な経済危機と食料危機は、第２次世界大戦後の社会の仕組み、特に１９８０年代以降のグローバルな市場経済システムとそれを支える政策（新自由主義的政策と呼ばれます）を見直そうという新たな流れを国際社会にもたらしました。

「弱肉強食の市場で競争して生き残ることをめざせば社会は豊かになる」「みんなが恩恵《おんけい》を受けて幸せになれる」と言われてきたけれど、「本当

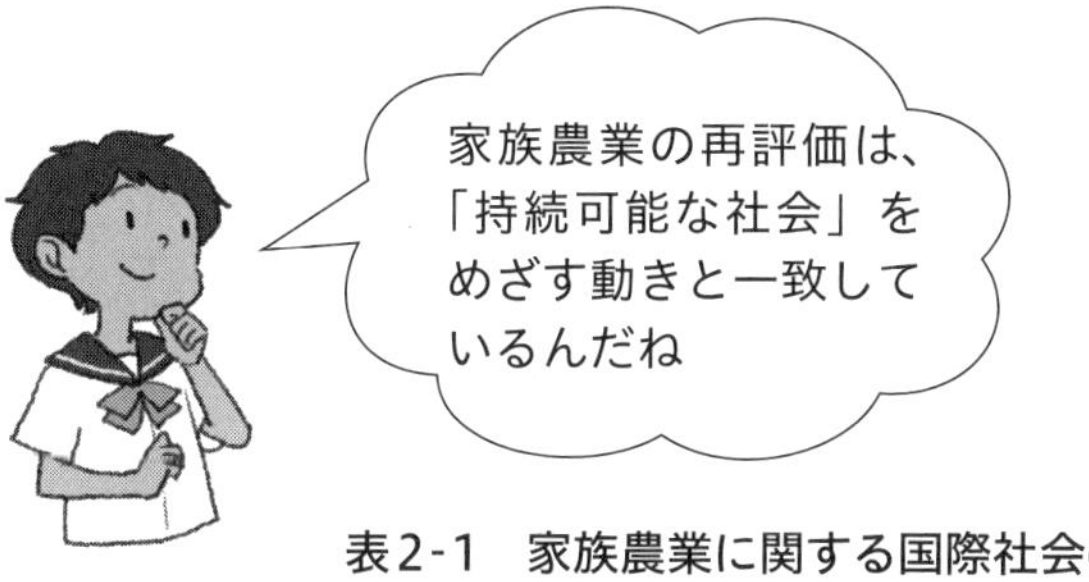
家族農業の再評価は、
「持続可能な社会」を
めざす動きと一致して
いるんだね

表2-1　家族農業に関する国際社会の主な動き

2008年	世界経済危機・食料危機発生、国際農民組織が「男女の農民の権利宣言」を発表
	国際非政府組織（NGO）が「国際家族農業年」の設置を求める運動を開始
2011年	国連総会が「国際家族農業年」（2014年）の設置を決定
2014年	「国際家族農業年」、世界各地で家族農業関連イベント相次ぐ
2015年	国連の持続可能な開発目標（SDGs）誕生、家族農業がSDGs達成のカギとして位置づけられる
2017年	国連総会が国連「家族農業の10年」（2019～28年）の設置を全会一致《いっち》で決定
2018年	国連総会が「農民と農村で働く人びとの権利宣言」を採択《さいたく》
2019年	国連「家族農業の10年」開幕、G20新潟農相会合宣言に家族農業、小規模農業が明記される
2020年	新型コロナウイルス禍《か》の中、G20農相が臨時会合で家族農業、小規模農業をふくむ農家の支援強化を合意

資料：小規模・家族農業ネットワーク・ジャパン編（2019）をもとに著者作成。

にそうなのだろうか」と疑問を持つ人たちが増えたのです。

ごく一部の高所得者層と圧倒《あっとう》的大多数の中間層・低所得者層の間の格差が拡大してきたことも、こうした疑問に結びつきました。ノーベル経済学賞を受賞した経済学者ジョセフ・スティグリッツもグローバル化が格差をもたらしたと批判しています。

日本では、2011年に東日本大震災《しんさい》と福島第一原子力発電所の事故が起きたことも重なり、今までの経済的効率性にかたよった価値観を抜け出して、より**持続可能で公正な社会**をめざそうと考え、行動する人が少しずつ増えてきました。新型コロナウイルスの影響《えいきょう》でこの流れは加速しそうです。

●持続可能な食と農へ

そのような中、食と農の分野では、少ない土地や環境《かんきょう》負荷で多くの食料を生産している家族農業が、持続可能な社会における食と農の担い手として最もふさわしいと考えられるようになりました。国連食糧《しょくりょう》農業機関（FAO）の事務局長（当時）は、2013年に「家族農業以外に持続可能な食料生産の模範《もはん》に近い存在はない」「家族農業を中心とした政策を実行する必要がある」と言っています。

2010年代以降、世界各地で家族農業に関する国際会議やイベントが相次ぎ、さまざまな国際機関（国連食糧農業機関〈FAO〉、国際農業開発基金〈IFAD〉、世界銀行〈WB〉、国連貿易開発会議〈UNCTAD〉、国連世界食料保障委員会〈CFS〉等）や主要20か国（G20）農相会合も次々と家族農業、中でも小規模農業の重要性を訴《うった》えました。これを補強する流れとして、食と農の持続可能性を高めるための国際的枠組《わくぐ》みが数多く誕生しています（表2－2）。

●パラダイム転換が起きた

２０００年代までの国際社会の議論と比べると、２０１０年代以降の一連の流れはかなり画期的なものです。これまでのパラダイム（枠組み）が転換《てんかん》したといってもよいでしょう。というのも、１９８０年代から２０００年代にかけては、市場競争を促《うなが》すことが経済成長をもたらし、豊かな社会を築く唯一《ゆいいつ》の道だと、多くの政治家や学者、市民がまだ信じていたからです。

食と農でいえば、アメリカや中国のように低価格で食料を輸出できる国が大量に生産し、日本のように価格競争力がない国は食料を輸入し、価格競争力のある自動車等の工

表2-2　持続可能な社会をつくるための国際社会の枠組み

取り組み期間	国連が合意した国際テーマ
2011-2020年	生物多様性の10年
2015-2024年	土壌《どじょう》の10年
2016-2025年	栄養の10年
2018-2028年	水の10年
2019-2028年	家族農業の10年
2020-2030年	SDGs行動の10年、パリ協定取り組み期間
2021-2030年	生態系の回復の10年

資料：国連の資料より著者作成。

業製品を輸出した方が効率的だという「国際分業」の考え方が主流でした。発展途上《とじょう》国でも自給用の食料を作るより、コーヒーや紅茶、冷凍《れいとう》野菜、花を生産して輸出し、安い食料を輸入した方が国の繁栄《はんえい》に役立つと考えられてきました。これは、第1章で出てきた「グローバル化」と「食と農の工業化」の考え方と結びついています。

ところが、2000年代後半の**世界食料危機**が起きたときに食料価格は値上がりしたため、食料を輸入できなくなった国で飢《う》えに苦しむ人たちの数が増加してしまいました。日本でも食料品の価格が値上がりしました。このとき、人びとは食料を自分の国でまかなうことの重要性をあらためて認識したのです。

ちょうど2020年の**新型コロナウイルス**の影響で一部の食料輸入が停止し、国産の農産物の大切さが再認識されたときと似たようなことが、当時も起きていたのですね。市場がいつも万能に機能して、どんな危機からも私たちを守ってくれるという考えは幻想《げんそう》ではなかったのか、と多くの人たちが考えるようになりました。

さらに私たちは、世界的に人口が増加する中で、栄養豊かで、安全で、質の高い、文化的な食を将来にわたって十分に供給するという課題を、気候変動対策や環境保全、生物多様性の回復等と両立する方法で解決しなければなりません。これらの課題すべてに応えることができるのは、工業化された食と農ではなく、環境にも社会にもやさしい家族農業だという方向性を国際社会は示しています。

❷ 農業近代化と新自由主義への反省

２０００年代後半の世界的経済危機や食料危機は、確かに社会の仕組みを根本的に問い直す流れを生み出しました。２０２０年の新型コロナウィルスの感染拡大は、この流れをさらに大きなものにすると指摘《してき》されています。でも、パラダイム転換《てんかん》は危機によってある日突然《とつぜん》もたらされたのでしょうか。それとも、もっと以前から、多くの人は感じていなくても「地殻《ちかく》変動」が起きていたのでしょうか。

食と農についていうならば、地殻変動はずっと以前から起きていました。それは「**農業の近代化**」に対する批判というかたちで現れていました。農業の近代化とは、改良品種、化学農薬、化学肥料、機械、かんがい等の新しい技術（「**緑の革命**」と呼ばれます）を用いて、生産性を飛躍《ひやく》的に高めようとすることをさします。こうした技術の誕生は19世紀にさかのぼりますが、一般《いっぱん》に広まったのは第2次世界大戦後、特に１９６０～70年代でした。世界では2つの大戦を終え、必要なくなった軍需《ぐんじゅ》用の毒ガスを殺虫剤《ざい》に、火薬を化学肥料に「平和利用」するようになったのは有名な話です。

当時は、農業の近代化こそが生産性を高めて、世界の飢餓《きが》や貧困の問題を解決すると信じられていましたので、国際機関、各国政府、研究所、大学、地方自治体の普及所、農業協同組合等はみんな、近代的農業を広めることに努めました。

●農業近代化―環境への影響―

ところが、実際にこの新しい技術を使ってみたところ、さまざまな問題が浮《う》かび上がってきました。まず、化学農薬を散布していた農家、次に消費者が健康を害するようになり、社会問題になりました。また、化学肥料を使うことで土壌《どじょう》の中の微《び》生物が減少し、生態系が壊《こわ》れてしまったり、作物の収穫《しゅうかく》量が減少したりしました。

除草剤《ざい》を散布すれば、やがて除草剤に負けない強い雑草（スーパー雑草）が生えてきます。殺虫剤に耐性《たいせい》を持ったスーパー昆虫《こんちゅう》も増えてきました。散布された化学肥料・農薬は、雨が降ると土に浸《し》みこみ、川に流れ出して、やがては海に至ります。拡散された化学物

ギンヤンマのヤゴの羽化　水生昆虫はきれいな水でなければ生きられない

質は環境汚染《おせん》を引き起こし、生物多様性を奪《うば》ってしまいました。

昔はどこでも当たり前に見られたアマガエル、ホタル、赤トンボ、チョウ、ミツバチ等は急速に減少し、それを食べるトカゲや小鳥、ネズミ、イタチ等の小動物も姿を消しつつあります。春になっても小鳥が鳴かない。『沈黙《ちんもく》の春』（新潮社、1974年）の著者レイチェル・カーソンは、生物多様性が急速に失われつつある原因が、人間由来の化学物質であることに警鐘《けいしょう》を鳴らしました。日本でも、有吉佐和子《ありよしさわこ》が著書『複合汚染』（新潮社、1975年）で同様に化学肥料・農薬の有害性を訴《うった》えています。

●農業近代化―社会への影響―

農業近代化は、環境だけでなく社会にも影響《えいきょう》をあたえました。緑の革命の技術が普及《ふきゅう》したことで、農業はそれまでより少ない労働力で生産することができるようになりましたので、農業を継《つ》がない子どもたちは、都会に出稼《でかせ》ぎに行き、そのまま都会で一生暮らすようになりました。いわゆる「**都市化**」です。これにより、都市では工場などで働く労働者を確保できましたが、逆に農村には人がいなくなり、「**過疎《かそ》化**」が深刻な問題になりました。

農村では地域ごとに主力産品を決めて、キャベツならキャベツ、キュウリならキュウリに特化して生産することで生産も物流も効率化を図りました。農村で大量生産した農産物を長距離《ちょうきょり》輸送し、都会で大量消費する仕組みが確立しました。

これは一見すると効率的なようですが、多くの食品ロスを生み出し、輸送のためのエネルギー消費、温室効果ガスの排出《はいしゅつ》量も増加させました。

●農業近代化—経済への影響—

農家にとっても、それまでは種子、肥料、農薬、家畜《かちく》のエサはほとんど自分たちでまかなっていましたが、農業近代化後はすべて買わなければいけなくなりました。そのため、農産物を販売《はんばい》した後に種子代や肥料代等を支払《しはら》わなければならず、手元に残るお金の割合は減っていきました。1960年には、農業生産額に占《し》める肥料、農薬、光熱費などの割合は3分の1ほどでしたが、2007年には半分より多くなっています(農林水産省統計)。

特に農業機械はとても高価なものなので、多くの農家は借金をして買いました。中には借金を返済できなくなって、農業をやめざるを得なくなったり、自殺す

土を耕すための農業用トラクター　農業機械は大型で高価なものが多い

る人もいます。また、農業機械の事故で亡くなる人もいます。

さらに、農業近代化と同時期に農産物・食品の流通、加工、外食などの関連産業が発展しました。それにより、消費者が食料に支払うお金のうち農家・漁師の手元に残る割合は、1970年には35％でしたが、2010年には14％まで減少しました（農林水産省統計）。また、全産業に占める農業・漁業の割合は、3・8％（1970年）から1・2％（2010年）まで低下しています。

食品加工業や流通業、外食産業が発達するにつれて、農業は原料を供給する部門として位置づけられ、しばしば不利な立場に置かれ、農産物を低価格で納入することを求められます。そのため、自らの労賃を削《けず》ったり、赤字を他の収入や補助金で補填《ほてん》しなくては経営を続けることが困難になることがあります。

●農業近代化をのりこえて

近代的農業が広まるにつれて、世界各国でこうした弊害《へいがい》への批判が巻き起こりました。そして、1970年代には、化学肥料・農薬を用いない有機農業や自然農業の実践《じっせん》、生産者と消費者が支え合って安全な農産物を取引する**「産消提携《ていけい》」**の運動が日本でも全国的に広がりました。日本の有機農業・自然農業や産消提携は、海外でも持続可能な食と農のあり方としてお手本にされています。こうした取り組みをする人たちは、最初は多数派ではありませんでしたが、緑の革命の弊害が明らかになるにつれて支持を得ていきました。

　1992年にブラジルのリオデジャネイロで開かれた国連の地球サミットでは、環境問題、気候変動、生物多様性等の問題が本格的に話し合われました。農業近代化を信じてきた学者も、このころからようやくその弊害を認めるようになり、化学肥料・農薬に頼《たよ》らない有機農業・自然農業の研究が少しずつ動き出します。世界銀行や国連も新しい研究を支《し》援《えん》しました。

　緑の革命の技術は、環境汚染《おせん》や生態系の破壊《はかい》だけでなく、化学肥料・農薬の製造や機械を動かすために必要な化石燃料への依存《いぞん》を強めました。そして、化石燃料を消費することで温室効果ガスを発生させ、気候変動につながり、食と農の分野のエネルギー効率性を悪化させる結果となりました。気候変動対策の視点からも、農業近代化は厳しく追及《ついきゅう》されることになったのです。

●貿易自由化の弊害

　緑の革命の技術が広まった1960～70年代は、工業製品を中心に貿易自由化が国際的に大きく進んだ時期でもありました。新しい技術によって生産量が増えた農産物は、国内の市場からあふれ出し、海外に市場を求めました。

　そこで、1980年代になると、各国が貿易のルールを話し合う場で農産物の貿易も自由化することが決まりました。時代はちょうど新自由主義が一世をふうびしていましたので、食料も工業製品と同じように貿易自由化することで競争が生まれ、効率性が増し、必要なところに必要な食料が届く「最適配分」が実現するため、飢餓《きが》はなくなると考えられていました。

ところが、農産物の貿易自由化の結果、農産物の輸出が大幅《おおはば》に増えた国は一部に限られ、日本をふくむ先進国や途上《とじょう》国の多くは輸入農産物の激増に直面しました。農産物輸出国は、広大で地価の安い農地や豊富で給与《きゅうよ》水準が低い労働力に恵《めぐ》まれ、大型機械を使って効率的な農業を行っているから安い農産物を大量に輸出することができる、と多くの人は思っているかもしれません。

しかし、それだけでなく、実際には農産物輸出国の多くは輸出を促進《そくしん》するために補助金を出して支援《しえん》しているため、国際価格競争力を維持《いじ》できています。こうして「安価」になった輸入農産物を受け入れた日本のような国では、国内の農産物価格が低くなり、多くの農家が農業をやめてしまいました（25ページの図1-2を参照）。こうした国にとって、輸入がストップすることは、飢餓に直面することを意味します。

貿易自由化すれば、みんなが幸せになれるわけではないんだね

●新自由主義の台頭と抵抗運動

命の糧《かて》である食料も工業製品と同じように貿易自由化の対象にしようという考えは、**新自由主義**と呼ばれる経済方針にもとづいています。同じ新自由主義的政策は、国営企業の民営化や規制の撤廃《てっぱい》、政府の補助金の削減《さくげん》・廃止《はいし》を勧《すす》めています。なぜでしょうか。それは、政府が自由な市場取引に干渉《かんしょう》すると経済活動は縮小し、経済成長や資源の効率的な配分を妨《さまた》げると考えるからです。日本でも国鉄はＪＲに、電電公社はＮＴＴになり、郵便局等の郵政事業も民営化されましたね。

こうした政策によって多くの国では農業補助金が削減され、国営の農業銀行も廃止されました。国内の農業を保護するための規制も緩《ゆる》められたり、なくされたりしました。

実際、こうした政策によって農業部門でも格差が拡大し、一方で経営規模を拡大し、最新装備で経営する一握《ひとにぎ》りの人たちと、他方で経営規模を縮小したり農業をやめたりする人たちが生まれてきました。

特に発展途上《とじょう》国では、農産物を生産しなくなった元農家は貧しく、不安定な仕事に就いていることが多いため、輸入食料価格が高騰《こうとう》すると十分な食料を得ることができなくなりました。結果として、21世紀になっても貧困や飢餓《きが》はなくなっていません。

さらに、１９９０年代以降の規制緩和《かんわ》等によって、いくつかの国の政府や企業が他の国の広大な土地を借り受け、そこに住んでいた農家を追い出してしまう「**土地収奪《しゅうだつ》**」も国際的な問題になりました。

遺伝子組《く》み換《か》え作物等の種子を開発した企業《きぎょう》が、種子を利用する権利を一手に握ってしまうことで、農家が翌年蒔《ま》く種子を自分で採ることが禁止されるようにもなっています。毎年高価な種子を買うことができない農家は、農業をやめるしかありません。

こうした新自由主義的政策の帰結を見過ごせないと思った農家や市民たちは、１９９０年代後半から本格的に貿易自由化や新自由主義的政策に抵抗《ていこう》するグローバルな運動を展開しました。反グローバリゼーション運動です。このころ、インターネットや携帯《けいたい》電話が先進国でも発展途上国でも普及《ふきゅう》し始めたため、こうした農民運動や市民運動は世界的にネットワークをつくり、連携《れんけい》して運動を展開しました。

この草の根の運動は、世界貿易機関（ＷＴＯ）の貿易自由化交渉《こうしょう》を事実上決裂《けつれつ》に追いこむほどの力強さをみせたのです。これを機に、国連の議論の場でも市民団体、農民団体、環境団体等がオブザーバー（発言権はあっても議決権のない傍聴《ぼうちょう》者）として発言力を増していきました。

共有財産だと考えられてきた土地が、投資家たちのお金もうけの対象になってしまったんだ

❸ 歴史を動かした農民運動と市民運動

●農民運動と市民運動の盛り上がり

国連が「家族農業の10年」を定めたと聞くと、自分とは関係のない遠い世界のことだと感じたり、どこかの偉《えら》い人たちが決めたんじゃないかと思ったりするかもしれません。

ところが、実際は「家族農業の10年」を望んだのは、他のだれでもない家族農業を営む人たちでした。国連の「トップダウン」ではなく、農民運動や市民運動が「ボトムアップ」で国連を動かしたのです。

37ページの表2−1をみてみましょう。2014年の国際家族農業年の設置を最初に求めたのは、国際非政府組織（NGO）の世界農村フォーラム（WRF）というスペインを拠《きょ》点《てん》にする団体でした。

WRFは、2008年の世界食料危機を受けて、新自由主義的政策から家族農業を重視する政策への転換《てんかん》を求めたところ、世界中に支持が広がりました。同じ年に国際農民組織のビア・カンペシーナ（LVC）が「男女の農民の権利宣言」を発表し、2018年に国連総会で採択《さいたく》された「農民と農村で働く人びとの権利宣言」の先駆《さきが》けになりました。

●科学者たちが後押し

こうした農民運動や市民運動に呼応した科学者たちもまた、これまでの政策を見直す必要性を明らかにするために、研究プロジェクトに相次いで取り組みました。２００９年に世界銀行、国連機関（ＵＮＤＰ、ＦＡＯ、ＵＮＥＰ、ＵＮＥＳＣＯ、ＷＨＯ等）、58か国の政府と約４００名の科学者が参加した大型研究プロジェクトの報告書が発表されました。この報告書は、各国の政府や国際機関に対して、化学肥料・農薬に依存《いぞん》した工業的農業から生物多様性と地域コミュニティを重視する農業（**アグロエコロジー**と呼びます）へ早急に方向転換《てんかん》することを求めています。

農民の権利を求める運動はアフリカ大陸でも広がった（2014年、モザンビーク）

農民に固有の権利を求めて（2013年、ジュネーブ）

「農民の権利なくして食料主権なし」と訴えるデモ（2019年、ジンバブエ）

国連貿易開発会議（ＵＮＣＴＡＤ）もまた、『手遅《ておく》れになる前に目覚めよ―気候変動時代の食料安全保障のために、今こそ真に持続可能な農業を―』（２０１３年）と題した報告書の中で、「緑の革命」型の農法、単一栽培《さいばい》（モノカルチャー）、化学肥料・農薬等に依存する工業的農業から、小規模な家族農業による持続的で生産性が高いアグロエコロジーへ移行する必要性を訴《うった》えています。こうした報告書が相次いで発表された背景には、世界の科学者の役割が大きかったといえるでしょう。

●国連にも改革の波が

そして、国連の中でも改革が進んでいます。国連は加盟国が一国一票の議決権を持ち、経済力に応じた拠出《きょしゅつ》金を分担して運営していますが、各国の利害が対立して合意形成をすることが難しい場合も少なくありません。

特に食料や農業の問題においては、食料輸出国と輸入国の立場が対立しやすくなります。結果的に何も有効な政策を決めることができず、美辞麗句《びじれいく》をくり返すだけの場になってしまっては意味がありません。

そこで、食料問題を話し合う場である国連世界食料保障委員会（ＣＦＳ）は、２００８年の食料危機を受けて組織改革を行いました。これにより、農民団体、環境団体、市民団体等がオブザーバーとして会議に参加し、積極的に発言できるようになりました。

また、各国政府から干渉《かんしょう》されない独立した諮問《しもん》機関（専門家ハイレベル・パネル〈ＨＬＰＥ〉）も設置されました。ここでは、世界各国から集まった科学者たちがテーマごとに研究成果を取りまとめて、国連やその加盟国政府に対して勧告《かんこく》を行います。こうして誕生したＨＬＰＥは、２０１３年に小規模農業に対する支援を拡充《かくじゅう》するべきだという報告書を発表しました。

●さぁ、日本はどうする？

以上のように、過去10年あまりの間に、どのような食と農が持続可能なのか、未来のよりよい社会に向かっていくために、私たちは今何をなすべきなのかについての議論は大きく変化しました。

残念ながら、日本ではこうした国際的な変化が周知されていません。それは、こうした情報がほとんど報道されていないからです。でも、日本でも海外

国連世界食料保障委員会（CFS/HLPE）報告書の執筆メンバー
（2013年、左から３番目が著者）

とネットワークをつくって、こうした情報を伝える人たちが少しずつ増えてきました。

日本では、政府、研究機関、教育機関、農業関係者の多くがまだ農業近代化や新自由主義的政策を支持していますが、変化の兆しも出てきています（第6章参照）。みなさんは、毎日食卓《しょくたく》でいろいろな食べ物に出あいます。みなさんの今日の選択《せんたく》が、未来の食卓を形づくることになります。

第3章　家族農業とは

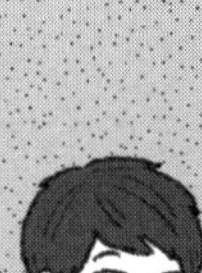

「今日は調べ学習で、家族農業についてお話をうかがいに来ました。よろしくお願いします」

「ようこそ役場の農政課に！」

「給食のとき、先生が国連『家族農業の10年』やSDGsについて教えてくれました」

「そもそも家族農業って何なのか、SDGsとどうつながるのか、もっと知りたくなって来ました」

「家族で農業をするのはたいへんじゃないかと思うんですが……。日本は特に高《こう》齢《れい》化していると読んだことがあります」

「うちはベランダ菜園をしているんですが、それも家族農業ですか」

「父が、日本は大規模化や企《き》業《ぎょう》化を優先してきたと言っていました。本当ですか」

「おっと、みんな熱心だね！　それじゃあ、ひとつずつみていきましょう」

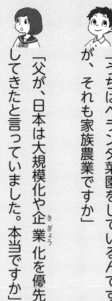

❶ 家族農業の定義

国連「家族農業の10年」にみられるように、近年、「**家族農業**」(Family farming)が注目されています。それでは、そもそも家族農業とはどのような農業のことでしょうか。その定義を確認してみましょう。実は、家族農業にはいくつかの定義があり、似た概念《がいねん》と混同しやすいので、ここではだれがどのように定義しているのか、少し丁寧《ていねい》にみていきましょう。

●日本政府による定義

まず、日本政府(農林水産省)の統計では、国内で農業を経営する一定規模以上の事業体を「**農業経営体**」と呼んでいます。一定規模とは、農地30アール(=3000平方メートル、およそ田んぼ3反に相当)以上または年間販売《はんばい》額50万円以上を基本として、施設栽培《しせつさいばい》や畜産《ちくさん》等には特別の基準が設けられています。他の農業経営体から農作業を委託《いたく》される場合も対象になります。

農業経営体は、1世帯の家族が経営する「**家族経営体**」とそれ以外の「**組織経営体**」の大きく2つに分類されます（図3−1）。日本で「家族農業」という場合、この家族経営体が営む農業をさしていることが多いです。

注意が必要なのは、家族経営体には、1世帯の家族が経営する株式会社等の法人化された経営体もふくまれているという点です。よく「家族経営体」と「企業《きぎょう》経営体」を分けて対立的にとらえることがありますが、統計では「家族経営体」には「企業経営体」の一部がふくまれているのです。

それでは、組織経営体とはどのような経営体なのでしょうか。統計の定義では、複数の世帯で事業を行うもの、つまり家族経営体以外となっています。

地域で複数の農業経営体が集まって、農事組合法人や株式会社、合同会社等の法人を組織する場合が当てはまります。もともとは畜産に多

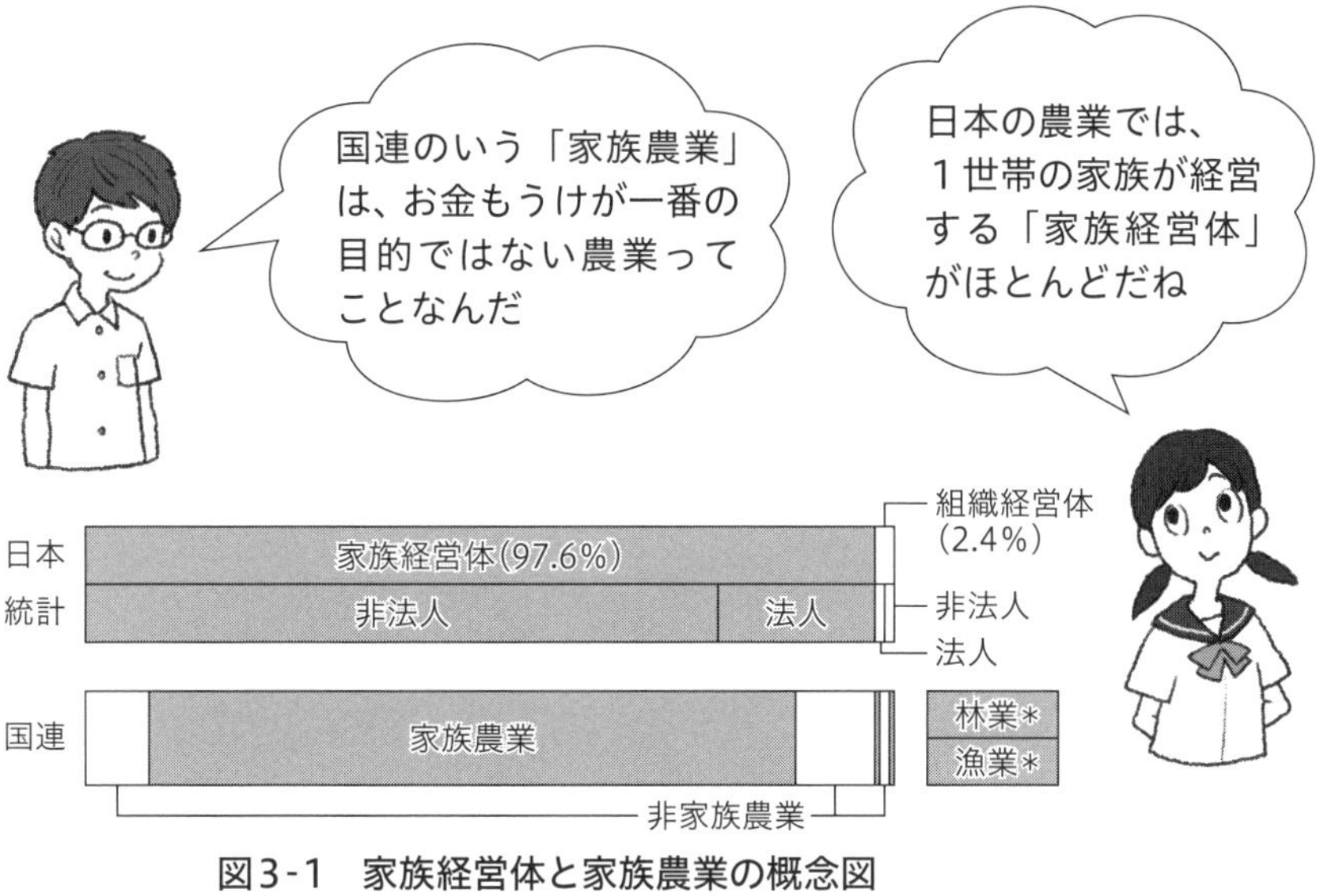
国連のいう「家族農業」は、お金もうけが一番の目的ではない農業ってことなんだ
日本の農業では、1世帯の家族が経営する「家族経営体」がほとんどだね
日本統計
家族経営体(97.6%)
非法人
法人
組織経営体(2.4%)
非法人
法人
国連
家族農業
林業＊
漁業＊
非家族農業

図3-1　家族経営体と家族農業の概念図

注：グレー部分が家族農業に該当する。
＊林業・漁業はいずれも家族労働力を主とした経営に限る。
資料：著者作成。日本の統計は農林業センサス（2015）を参照。

くみられる形態でしたが、今では稲作《いなさく》でも家族経営体が集落単位でまとまって法人化する場合が増えてきました。企業が新規参入した場合も組織経営体になります。

とはいっても、日本では家族経営体の数が全体の97・6％と圧倒《あっとう》的に多く、組織経営体はわずか2・4％です（2015年）。2000年代から増えてきた企業による農業参入のほとんどは組織経営体ですが、全体からみるととても少ないのですね。

●国連による定義

国連による家族農業の定義は、日本政府の定義よりも幅《はば》広くなっています。国連は、家族農業を「家族が経営する農業、林業、漁業・養殖《ようしょく》、牧畜《ぼくちく》であり、男女の家族労働力を主として用いて実施《じっし》されるもの」と定義しています（表3–1）。ここでのポイントは、第一に、家族「農業」の中には林業や水産業もふくまれていることです。正確には、「**家族農林漁業**」といった方がよいでしょう。家族農林漁業を営む人たちの多くは、狩猟《しゅりょう》や採集も行っています。

第二に、「男女の」とあえていっているように、男性だけではなく女性が重要な役割を果たしていることを強調しています。これは、世界の農業従事者の半数が女性であるにもかかわらず、十分に貢献《こうけん》が評価されていないこと、また女性が営む農業は男性が営む農業の2分の1から3分の1の規模であるために、女性たちが貧困に陥《おちい》りやすいという事実に光を当てる意味があります。

第三に、家族労働力が主体の農業だということです。雇用《こよう》労働力（正規、パート、アルバイト）に部分的に頼《たよ》る場合でも、家族労働力を主体とした農業は、稲作《いなさく》、畜産《ちくさん》、野菜等の作目を問わず、また日本やアメリカといった国を問わず、相対的に小さな規模で営まれています。ただし、国によって家族の人数は異なり、機械を使うかどうかによっても経営規模は大きく異なります。

共通しているのは、家族労働力が主体の農業では、経営目的が「利潤《りじゅん》を最大限に増やすこと」ではなく、「家族の家計を支えること」「家族で経営を維持《いじ》すること」「地域の社会や資源を守ること」であるという点でしょう。この点が、営利を第一義的目的とする資本主義的な企業《きぎょう》経営と一番異なる点です。実際に、農業に参入した企業が、利益をあげられず数年で撤退《てったい》してしまったり、より条件のよい地域に移転したりという事例もあります。

注意が必要なのは、労働力を測る単位は人数ではなく、農

表3-1　国連による家族農業、小規模農業、農民の定義の比較

	国連の定義
家族農業	家族が経営する農業、林業、漁業・養殖《ようしょく》、牧畜《ぼくちく》であり、男女の家族労働力を主として用いて実施《じっし》されるもの
小規模農業	家族によって営まれており、家族労働力のみ、または家族労働力をおもに用いて、所得の（…）大部分をその労働から稼《かせ》ぎ出している農業（耕種・畜産・林業・養殖業）のこと
農民（小農）	家族および世帯内の労働力、ならびに貨幣《かへい》を介《かい》さないその他の労働力に大幅《おおはば》に依拠《いきょ》し、土地に対して特別な依存《いぞん》状態や結びつきを持った人をさす

資料：小規模・家族農業ネットワーク・ジャパン編（2019）より著者作成。

作業をした時間（労働時間）だという点です。また、国連の定義では、法人化した家族経営体や複数世帯で営む組織経営体、1人で営む経営体（日本では家族経営体に分類）も家族農業にふくみます。つまり、雇用労働力を中心とした資本主義的な企業農業以外は家族農業としているのです。

●小規模農業と農民（小農）

さらに、家族農業に類似した概念《がいねん》として、「小規模農業」（Smallholder agriculture）や「農民（小農）」（Peasant）がありますが、国連の定義をみると、いずれも家族農業と重なる概念として位置づけることができます（表3−1）。家族農業を営む人たちの中には、世界各地の先住民や少数民族といった十分に権利が保障されていない人たちもふくまれています。

●家族農業の特徴

家族農業の特徴《とくちょう》は、農業経営と家計が密接な関わりを持っているという点です。つまり、農業生産のために種子を買う予算も、子どものための文房具《ぶんぼうぐ》を買うための予算も、同じひとつのお財布から出ているということですね。これは、ときに「どんぶり勘定《かんじょう》」と呼ばれ、農業経営の視点からみると「正しい収支計算ができないので好ましくない」と言われることがあります。でも実際は、お勤めをして得た月給で農業機械のローンを組むことはよくあります。

2011年の東日本大震災《しんさい》のときにも、兼業《けんぎょう》所得（農業以外の仕事から得る収入）のある農業経営体の方が、地震《じしん》や津波《つなみ》の被害《ひがい》からの回復が早かったという例もあります。農業経営と家計が密接に関わっていることは、リスク分散になり、災害や経済危機のような外的ショックに対する**レジリエンス**（回復力）にもつながるとして、近年は積極的に評価されるようになりました。

❷ 家族農業はどのくらい重要？

●家族で営む農業、漁業、畜産、林業

家族農業は、農業の中心的位置を占《し》めています。国連食糧《しょくりょう》農業機関（FAO）の統計によると、世界全体で5億以上、つまり全体の9割以上が家族経営体となっています。かれらは、世界の農地の70～80％を用いて、世界の食料の80％以上を生産しています。このことから、世界の食料を安定的に供給していくためには、家族農業の役割が必要だということが分かります。

漁業では1・4億、つまり全体の9割が小規模な家族経営の漁業です。かれらは、世界全体の漁獲《ぎょかく》量の6割以上を供給しています。小型漁船による沿岸漁業が、重要な役割を果たしているのですね。

畜産《ちくさん》では2億～5億と推計される牧畜《ぼくちく》家の人たちが、地球の地表全体の3分の1で牧畜、移牧、遊牧をしながら生活しています。かれらの多くは、特に過酷《かこく》な環境である砂漠《さばく》、サバンナ、山岳《さんがく》地帯等で生活していて、こうした地域における食料供給で特に重要な役割を果たしています。

また、世界の農村地域で極度の貧困状態にある人たちの約4割が、森林で生活しています。さらに、山岳地帯で営まれる農業のほとんどは家族農業であり、林業と農業を組み合

世界の農場数の90％以上が家族農業である

家族農業は世界の農地の70～80％を耕している

世界の食料の80％以上を家族農業が供給している

資料：FAO2014、2018aより作成。

わせた「**アグロフォレストリー**」は、持続可能な自然資源の管理システムとして各地で実践《じっせん》されています。

例えば、木材用の木、果樹、カカオ、コーヒー、バナナとトウモロコシ、野菜、家畜《かちく》等を組み合わせて、生物多様性に富んだ生産をすることができます。

●世界各地の多様な家族農業

そして、世界各地の家族農業は、地域によって多様な姿をしています。それは、農地の広さ、平地と山地の比率、水資源の豊かさ、日照条件、気温、湿度《しつど》、降雨量、風、土壌《どじょう》の微《び》生物相の状態、人口密度、農業技術、経済活動、労働力、農産物や資材の市場の状態、貿易等、さまざまな条件によって、生産規模や作目の組み合わせが変わってくるからです。

日本では、稲作《いなさく》を中心に、畜産、酪農《らくのう》、野菜、果実、花などの生産が行われていますが、他の国では小麦やトウモロコシ、キャッサバの生産が中心になったりします。

フィリピンのアグロフォレストリー

したがって、地域によって農業経営体の規模にも大きなちがいがあります（図3−2）。例えば、アジアやアフリカでは1ヘクタール（1万平方メートル＝100メートル×100メートルの広さ）未満の規模の経営体の数が全体に占《し》める割合は高く、5割から9割にのぼります。

他方で、アメリカ大陸やオセアニアでは、その割合は1〜2割程度と低くなっています。ヨーロッパは両者の中間に位置づけられます。全体でみると、1ヘクタール未満の経営体は全体の72・6％、5ヘクタール未満の経営体は全体の94・2％を占めています。

それでは、日本ではどうなっているでしょうか。日本では122万の農業経営体がありますが、そのうち118・5万（97％）が家族経営体です（2018年）。経営規模別でみると、1ヘクタール未満の経営体の数が全体に占める割合は52・8％、5ヘクタール未満の場合は91・1％となっています。経営体の平均規模は2・98ヘクタールです。欧米《おうべい》と比べると小さな規模ですが、日本

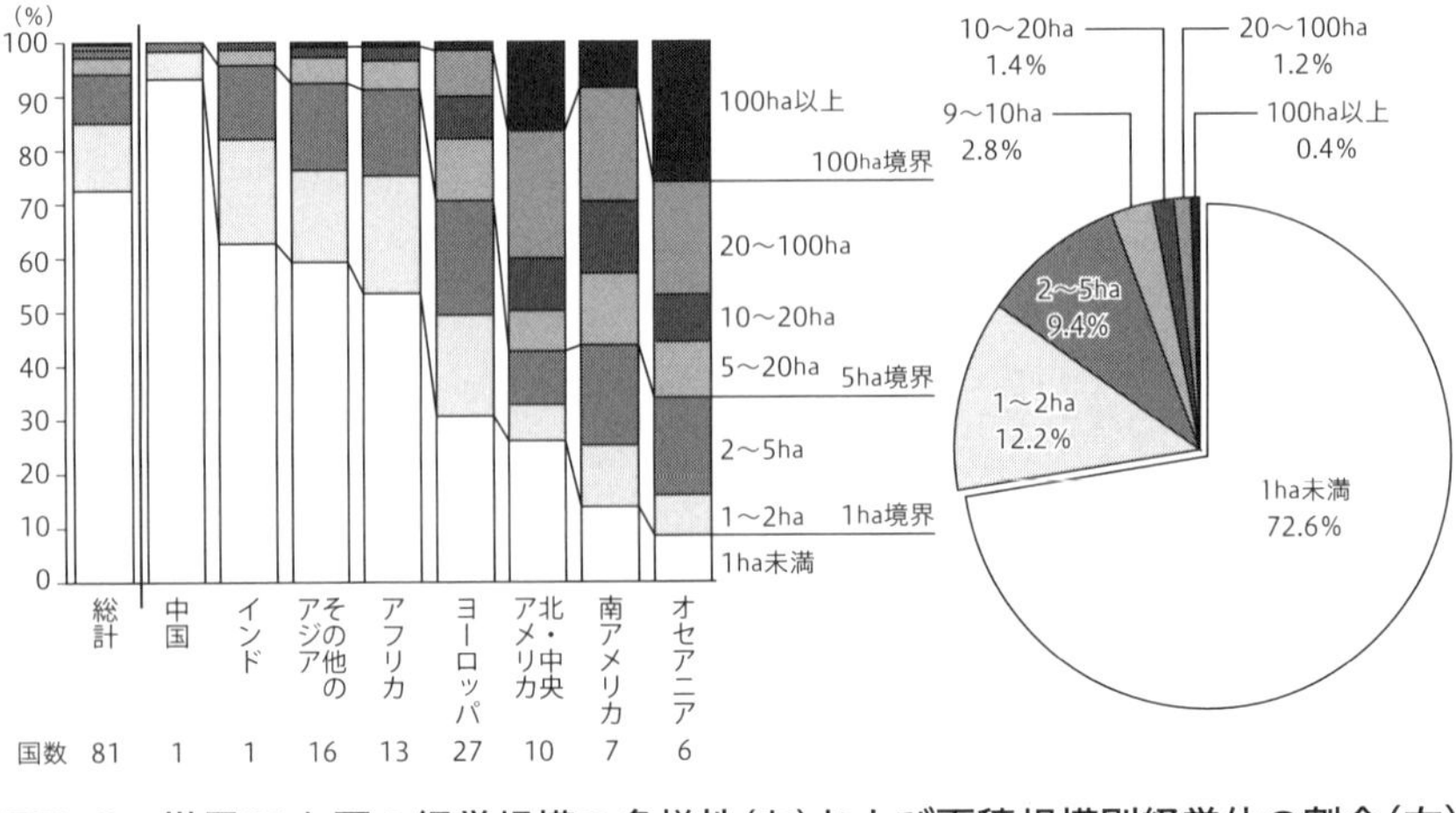

図3-2　世界81か国の経営規模の多様性（左）および面積規模別経営体の割合（右）

資料：国連世界食料保障委員会専門家ハイレベル・パネル（2014）、50ページより作成。

はアジア・モンスーンと呼ばれる気候帯に属していて、雨が多く温暖なため、水田稲作《いなさく》で高い土地生産性を発揮しています。

農業以外の所得を持たない「**専業農家**」の割合は32・2％、農業以外の所得を持つ「**兼業**《けんぎょう》**農家**」の割合は67・8％です。兼業農家のうち、農業の所得の割合が多い「第1種兼業農家」は15・6％、農業以外の所得の割合が多い「第2種兼業農家」は52・2％となっています。農業就業者の平均年齢《ねんれい》は66・7歳《さい》となっていて、高齢《こうれい》化が深刻です。

●統計の課題

さて、統計で世界と日本の家族農業の姿をみてきましたが、統計が実態をすべて反映しているかというと、必ずしもそうとは言いきれません。なぜなら、国によっては正確な統計をとるための予算や人が十分ではありません。

例えば、10年ごとに調査される世界農林業センサスという統計は、世界で最も網羅《もうら》的な農業統計ですが、2010年に調査が行われたのは世界で114か国と約半数にとどまっています。また、せっかくデータをとっても、その分析《ぶんせき》に何十年もかかってしまう国もあります。

さらに、統計の調査の対象にならない人たちもいます。農業の統計の場合、一定の規模以上でないと調査対象になりません。世界には5億あまりの農業経営体があるとされていますが、統計にふくまれない小規模な農業を営む人たちもふくめると、実に20億戸が農業を営んでいるというデータもあります。

日本でも小規模な自給的農業を営む自給的農家（82・5万戸、2015年）は農業経営体にふくまれていません。自給的農家とは、農地10アール以上30アール未満で農業を営むか、年間農産物販売額《はんばい》が15万円以上50万円未満の農家をさします（農林水産省、2015年）。自給的農家に関する統計は、2016年以降、調査されていません。

ましてや、家庭菜園やベランダ菜園は、まったく統計でとらえることができていないのです。各国の統計予算は1980年代以降削減《さくげん》される傾向《けいこう》にあり、実態に即《そく》した政策や予算配分を行う根拠《こんきょ》が失われつつあります。より実効性のある政策をつくるためにも、今後はしっかりとした統計をとる必要があります。

❸ 家族農業の「効率性」

これまで長い間、家族農業は「小規模」「非効率」「時代遅《おく》れ」等のレッテルが貼《は》られてきました。家族農業を「効率化」するためには、「大規模化」や「法人化」をして、さらに「近代的技術や資本を導入」しなければならない。そう信じてきた人たちが多かったのです。

ところが今、この「効率性」の概念《がいねん》自体が大きく問い直されています。みなさんは、「効率性」とはどのように測るものだと思いますか。どのような状態を「効率的」だといっていますか。実は、もともと効率性とは、その時代、その時代の最も希少な財（量が少なくて価値が高いモノ）の投入量１単位に対する産出量として測ることができます。「生産性」ともいいますね。

●土地生産性

例えば、お百姓《ひゃくしょう》さんが多い時代は耕す土地が希少な財でした。みんな、一生懸命《いっしょうけんめい》働いて、山林や原野を切り拓《ひら》いて、新しい農地を開墾《かいこん》しました。この時代には、貴重な土地の１単位（日本では、１反＝約10アールが基本的単位になります）当たりで収穫《しゅうかく》できるお米の量（米俵１俵＝60キログラムを何俵とれるか）がとても重要でした。これを「**土地生産性**」と呼びます。

米俵１俵＝60キログラム

今日、都市化によって農地が減少し、気候変動対策の視点から新たに森林を開拓《かいたく》して農地にすることが難しい中、農地は再び希少な財になっています。

世界的に土壌《どじょう》の劣化《れっか》が進み、雨が降るたびに土壌が流失する土壌流亡や砂漠《さばく》化も問題になっています。増え続ける人口に食料を供給するためにも、土地生産性は重要であり続けています。ただし、単に土地生産性が高ければよいというだけではなく、土壌流亡等の問題を改善しながら持続可能な方法で農地を保全する必要があります。

●労働生産性

高度経済成長期になって、農業を離《はな》れて会社勤めをする人が増えると、農村は過疎《かそ》化し、農業は人手不足になりました。今度は、最も希少な財は労働力になりました。そこで、手作業で行っていた田植え、除草、稲刈《いねか》り等の農作業の多くは農業機械が行ったり、除草剤《ざい》という農薬を散布したりして省力化するようになりました。1960年には10アールの水田でお米をつくるために173時間が必要でしたが、現在は33時間程度まで減少しました。労働時間の1単位（1時間）でどのくらいの農産物を生産できるかを「**労働生産性**」と呼びます。今でも一般《いっぱん》的に「生産性」「効率性」と言うと、多くの場合は労働生産性をさしています。

日本では、ロボット技術や人工知能（ＡＩ）を用いた「スマート農業」と呼ばれる新しい農業技術を採用することで、人手不足に対応することが望ましいとされています。しかし、手間や労力を省くことばかり考えすぎると、農業従事者の減少、ひいては農村人口の減少をエスカレートさせます。農業は産業としての側面だけでなく、農業に従事して農村地域で生活を営む人たちの暮らしとしての側面があります。

増田寛也元総務相は、全国１７９９の基礎《きそ》自治体の半数にあたる８９６が２０４０年までに「消滅《しょうめつ》可能性」がある自治体になるという試算を発表しました。農家の人たちが学校に通ったり、買い物をしたり、病院に行ったりすることができる地域社会がなくなってしまえば、その地域で農業を継続《けいぞく》することはできません。労働生産性を追い求めすぎると地域の仕事を奪《うば》いかねないという視点が必要です。ヨーロッパ諸国では、小さな生業としての農業が所得を生み出し、農村地域のコミュニティ維持《いじ》に貢献《こうけん》していることを重視し、小規模な家族農業への支援《しえん》政策を強化しています。

●エネルギー効率性

さて、21世紀の社会で最も希少な財とは何でしょうか。それは**エネルギー**です。特に、私たちが依存《いぞん》している石油や石炭、天然ガスは限りのある埋蔵《まいぞう》エネルギーです。近代的な

農業によって雇用《こよう》を生み、
地域コミュニティを
成り立たせるという側面
があるんだね

農業技術のほとんどが、これらの化石燃料をたっぷり使えることを前提に発展してきました。

農業機械やビニールハウス等の園芸施設《しせつ》は、製造するのにも、動かすのにも、廃棄《はいき》するのにも化石燃料が必要です。農業用のビニールハウスや農地を覆《おお》うビニールマルチは、ほとんど再利用されず、最終的に海洋に浮《う》かぶマイクロプラスチックになる問題も指摘《してき》されています。化学農薬・肥料もまた、原料の輸入、製造、輸送のために多くの資源を必要とします。

実は、最先端《せんたん》と思われてきた農業技術の多くは、**エネルギー効率性**（エネルギー消費量1単位当たりの生産量）で測ってみると、とても非効率であることが分かってきました。逆に、昔からある農業、つまり農場で必要な資材をすべて農場内や里山から調達して、資源を循環《じゅんかん》させながら、化石燃料に頼《たよ》らないで営む農業、有機農業や自然農法のような伝統的農業の方が、エネルギー効率性がずっと高いのです。

小規模農家が世界全体の農業分野の消費エネルギー量の25％しか使っていないにもかかわらず70％の食料を供給していることは、小規模農業の高いエネルギー効率性をよく表しています（ETC Group 2017）。逆にいうと、大規模農業は75％のエネルギーを消費して30％の食料しか供給できていません。エネルギー効率性の高い農業は**アグロエコロジー**

農業と海洋マイクロプラスチックの問題がつながっていたなんて……

（第6章参照）と呼ばれ、未来の農業の姿として国連が推進しています。

最近では、日本の農村地域でも再生可能エネルギー（バイオマス、小水力、太陽光、風力、地熱等）による発電がさかんに行われるようになってきました。中山間《ちゅうさんかん》地域の農業は小規模な家族農業が圧倒的《あっとう》に多く、再生可能エネルギーの生産にも携《たずさ》わっています。こうした農業がＳＤＧｓの目標に掲《かか》げられている目標7（クリーンエネルギー）や目標12（つくる責任・つかう責任）、目標13（気候変動）、目標14（海の豊かさ）、目標15（陸の豊かさ）等にもつながっています。

らせん水車を活用したマイクロ水力発電

●社会的効率性

もう一つ、**社会的効率性**という視点をご紹介《しょうかい》しましょう。これは、農村地域で農業を営む人たちがいるからこそ、社会全体が安定化し、調和のとれた暮らしができるということを意味しています。本書の第1章で出てきた農業の多面的機能を思い出してください。

農地には、大規模化に向いた平地もあれば、大規模化が困難な中山間《ちゅうさんかん》地域もあります。日本では、中山間地域が総国土面積の7割を占《し》めています。また、耕地面積の4割、総農家数の4割も中山間地域に位置しています。

こうした地域で農業、林業、漁業を営んでいるのは小規模な家族経営が圧倒的《あっとう》に多く、かれらは食料を供給し、その地域に所得を得る機会（幅《はば》広い意味での雇用《こよう》）をもたらし、地域経済とコミュニティを支え、治山治水《ちさんちすい》の防災機能を担い、生物多様性や景観を維持《いじ》し、伝統的な食文化や祭り、芸能を伝承しています（28ページの図1–3を参照）。

農林水産省は、これらの農業の多面的機能には年間8兆円あまりにのぼる経済的価値があるという試算を発表しています。

しかし、もしこれらの機能が失われて、大規模な洪水《こうずい》や土砂崩《くず》れが発生し人命が失われた場合、特定の生物が絶滅《ぜつめつ》した場合、いくらお金を積んでも失われた生命《いのち》を甦《よみがえ》らせることはできません。つまり、貨幣《かへい》価値に置き換《か》えることのできない価値を農林水産業は私たちの社会にもたらしてくれています。

農林水産業のための国家予算は年間3兆円（2019年度）ほどです。つまり、農林水産業は少ない財政的支援で社会を下支えしています。

健全な国土の発展や地方と都市の持続可能な関係を築くためにも、農林水産業への政策的・財政的支援《しえん》を強化することが求められています。

第4章 なぜ家族農業はSDGsのカギなのか？

「このスイカ、あまくておいしい!」

「うちは農薬や化学肥料を使わないで育てているんだよ」

「お米も野菜もそうだね。鶏《にわとり》のフンがいい肥料になるからね」

「あとで卵も食べたい」

「もちろんだよ。でもね、最近はうちの集落も空き家が増えてね。秋の祭りもあと何年できるか。さびしいもんだよ」

「こんにちはーっ」

「やあ、いらっしゃい」

「はじめまして。地域おこし協力隊として町役場で働いたあと、この町が好きになって、ここで新規に就農して、合鴨《あいがも》農法の勉

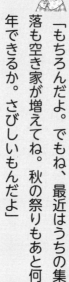

強をすることにしたんです」

「農業をする若い人がどんどん増えるといいんだけどね」

「町役場ではどんなお仕事をされていたんですか」

「よく聞いてくれました。再生可能エネルギーとして、バイオマス、小水力、風力、太陽光発電の普及《ふきゅう》を担当していたの」

「ここの集落でも小水力発電をつくったんだよ」

「へぇ、エネルギーかぁ。学校でもエネルギー問題と家族農業について習ったよ」

「いい学習してるね。家族農業はＳＤＧｓのカギだといわれているんだよ」

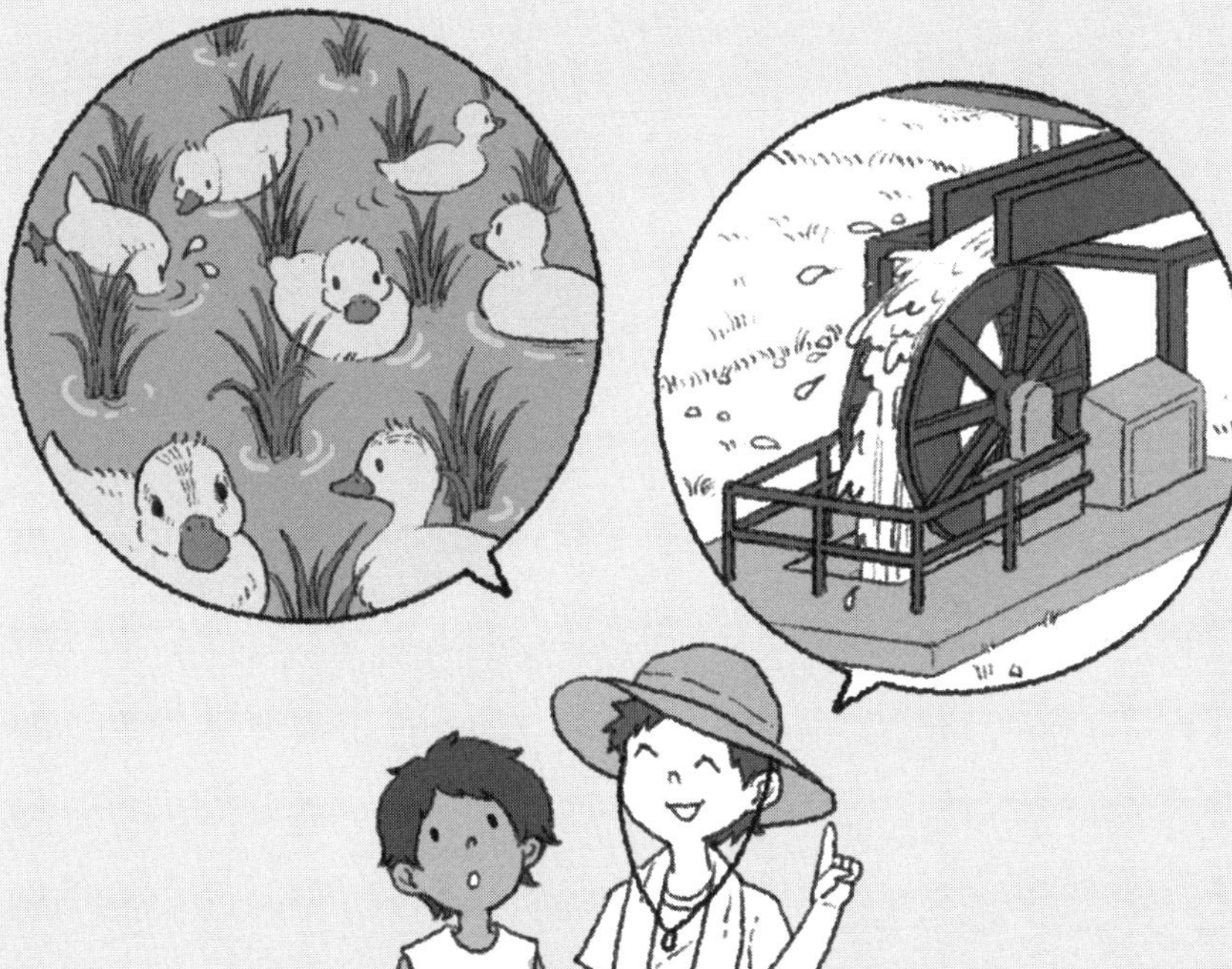

❶ 貧困と飢餓からみた家族農業

第3章にあるように、家族農業は私たちが消費する食料の8割を生産しています。そのため、家族農業なくして食料の安定供給はありえません。SDGsの目標1（貧困をなくそう）や目標2（飢餓《きが》をゼロに）の達成にも、家族農業が大きく貢献《こうけん》ができると期待されています。

ところが、このこととは一見矛盾《むじゅん》するような現実もあります。2019年現在、世界人口約77億人のうち約6・9億人が栄養不足の状態にあると推計されています。これは、過去5年間で栄養不足人口が6000万人増加したことを示しています。そして、その中心地域はアジアとアフリカです。さらに、2020年に発生した新型コロナウイルスの世界的大流行（パンデミック）により、栄養不足人口はさらに増加すると予測されています。

こうした貧困・飢餓に直面している人たちの8割は都市ではなく農村地域で生活していて、そのうち大部分の人たちが農林水産業で生計を営んでいます。これは、家族農業のパラドックス（矛盾）として知られています。

それでは、なぜ食料をたくさん生産しているはずの家族農業を営む人たちが飢餓に陥《おちい》っているのでしょうか。それは、かれらの多くは食料を完全に自給自足しているわけではなく、足りない食料を市場で買わなくてはならない状態にあり、しかも現金所得が低いため、一度食料価格が高騰《こうとう》すると必要な食料を買うことができなくなってしまうからです。

例えば、２００８年の世界食料危機のときには食料価格が急騰《きゅうとう》しました。このときは、枯渇《こかつ》が懸念《けねん》される石油の価格が高騰し、代替《だいたい》燃料のバイオ燃料を増産するために食用の大豆やトウモロコシ等が原料に使われたため、穀物の価格も高騰したのです。

オーストラリア等で大規模な山火事が起きたり、世界的に穀物が不作だったりしたこと、不安心理から穀物輸出国

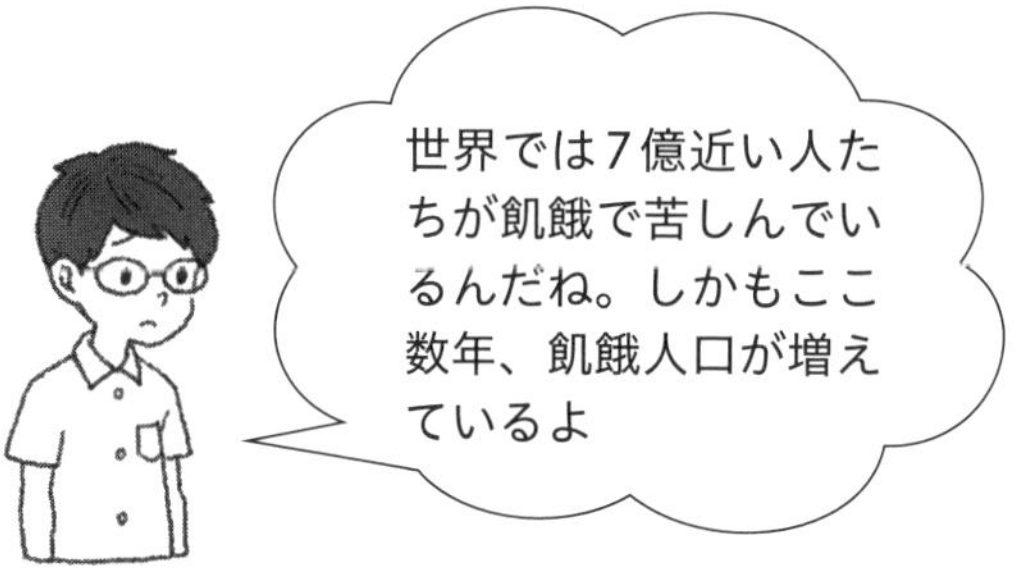

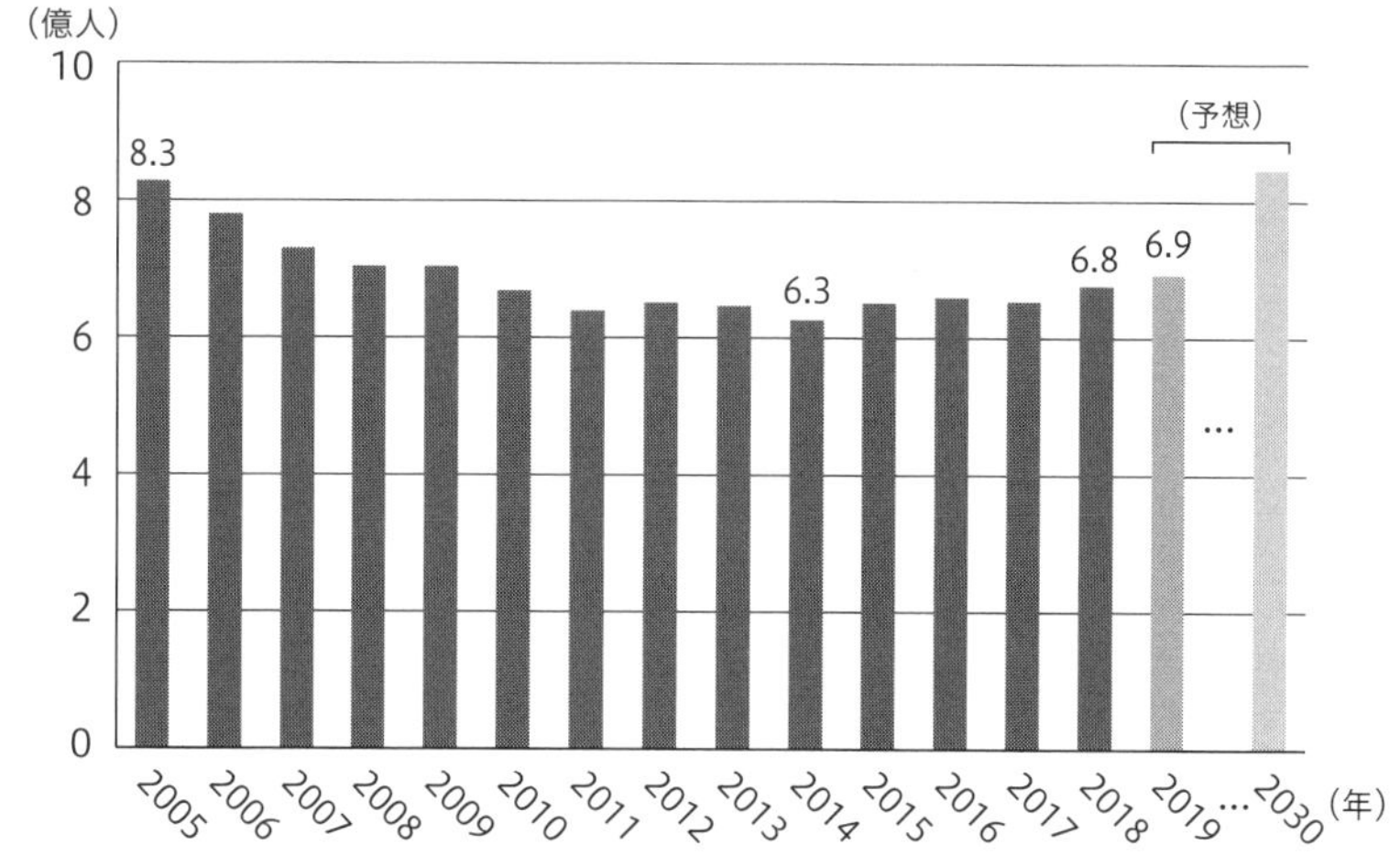

図4-1　世界の飢餓人口の推移

資料：FAO（2020）より作成。
注：2020年の新型コロナウイルス禍の影響は未反映。

の多くが禁輸措置《そち》をとったこと、投機マネーが穀物市場に流入したことも事態に追い打ちをかけました。さらに、近代的な農業技術によって土壌《どじょう》が劣化《れっか》し、生産力が年々低下していることも、飢餓をなくすうえで障害になっています。

このため、世界の飢餓人口は増加傾向《けいこう》にあります。2020年には、新型コロナウイルス禍《か》や蝗害《こうがい》（サバクトビバッタによる食害）によって飢餓人口が再び大幅《おおはば》に増加すると懸念されています。

このように、貧困・飢餓の撲滅《ぼくめつ》というSDGsのゴールを達成するうえで、家族農業を営む人たちは第一の当事者であり、かれらへの支援《しえん》が何よりも大切となっています。

❷ 家族農業の可能性

●SDGsと家族農業に期待される役割

それでは、家族農業にはどのような可能性があるのでしょうか。そして、家族農業がその秘めた力を発揮できるような政策とは、どのようなものでしょうか。ここでは、国連の家族農業を念頭に、SDGsとの関係でみてみましょう。

家族農業は、SDGsの17の大目標それぞれの実現に対して潜在力《せんざいりょく》を持っていて、適切

表4-1　国連SDGsと家族農業、政策の関係

SDGs17の大目標	家族農業の潜在力《せんざいりょく》、求められる政策
目標1（貧困をなくそう） 目標10（不平等解消）	【家族農業】貧困から脱《だっ》し、農村地域で所得を得る機会を増やす。 【政策】社会保障制度を確立し、回復力の高い生計を営めるようにする。
目標2（飢餓《きが》をゼロに）	【家族農業】は、［災害等に対する］回復力と生産性の高い農業を実践《じっせん》でき、自給だけではなく所得も得られる。 【政策】家族農業が自然資源、農業資材、各種サービスを利用しやすくすることで、生産性を向上させる。
目標3（健康・福祉《ふくし》） 目標4（教育） 目標6（安全な水とトイレ） 目標7（クリーンエネルギー）	【家族農業】とその組織［農協等］は、さまざまなサービスを提供することで地域の発展に貢献《こうけん》できる。 【政策】農村地域において、基本的サービスの改善と能力開発をする。
目標5（ジェンダー平等）	【家族農業】女性農業者は、持続可能で生産性が高く、だれも排除《はいじょ》しない食料システムの構築に不可欠な役割を果たす。 【政策】資源、技術、意思決定におけるジェンダー平等を実現する。
目標8（働きがい・経済成長） 目標9（産業・技術革新）	【家族農業】は、農村地域で雇用《こよう》を生み、過疎《かそ》化や若者の流出を止められる。 【政策】家族農業が必要とするインフラ整備、技術、革新を提供する。
目標11（まちづくり）	【家族農業】は、都市と農村の持続可能な関係を作り、強化するような食料システムを実現できる。 【政策】市場のあり方を革新することで、都市と農村の住民がともに健康的で、栄養豊かで、安全な食料を享受《きょうじゅ》できるようにする。

SDGs17の大目標	家族農業の潜在力《せんざいりょく》、求められる政策
目標12（つくる・つかう責任）	【家族農業】は、食料システムをより持続可能なものにすることに貢献《こうけん》できる。 【政策】家族農業が持続可能で効率的な方法で食品ロスの削減《さくげん》や自然資源の管理をできるように支援《しえん》する。
目標13（気候変動）	【家族農業】は、気候変動に対してより回復力の高い食料システムを構築できる。 【政策】家族農業が気候変動による災害によりよく対応できるように支援する。
目標14（海の豊かさ） 目標15（陸の豊かさ）	【家族農業】は、生物多様性、環境、文化を守ることができる。 【政策】家族農業の文化遺産、自然遺産を守る。
目標16（平和・公正） 目標17（パートナーシップ）	【家族農業】とその組織［農協等］の能力強化により、地域社会に奉仕《ほうし》できる。 【政策】［家族農業を］認知し、発言権をあたえ、能力を発揮できる環境を整える。

資料：FAO & IFAD (2019) より著者作成。

な政策が実施《じっし》されれば、SDGs達成に大きく貢献《こうけん》することができます（表4−1）。逆にいうと、家族農業への支援なしにSDGs達成は難しいでしょう。

●食料供給と多面的機能

家族農業は、第一に、私たち人間がだれでも必要とする食料、言いかえると命の糧《かて》を供給しています。世界の食料の8割を生産していますので、私たち人類を養っているといっても過言ではありません。

もっというと家族農業はただの食料ではなく、世界各地の気候や風土、歴史や文化によって形づくられてきた食文化に根差した栄養豊かな農産物・食品を提供しています。それらの食料は、市場で売買されることもありますが、家族で食べたり、親せきや地域の人たちと分け合って食べたりすることもよくあります。

食料には、お金と交換《こうかん》する価値（交換価値）だけでなく、食べて栄養を摂《と》り、健康な身体をつくったり、喜びを感じたりする価値（使用価値）があります。農業や食品の生産は、産業としての経済的役割だけでなく、人の命を保障するという普遍《ふへん》的役割を果たしているのです。家族農業は、食料安全保障および食料主権の中心的存在です。

第二に、家族農業は食料供給以外にも多様な役割を果たしています。第1章と第3章で出てきた「多面的機能」と呼ばれるものです（28ページの図1−3参照）。食料・農業・農村基本法（1999年施行《しこう》）によると、多面的機能とは「国土の保全、水源のかん養、自然環境《かんきょう》の保全、良好な景観の形成、文化の伝承等農村で農業生産活動が行われることにより生ずる食料その他の農産物の供給の機能以外の多面にわたる機能」とされ、国民生活・経済の安定に資するため将来にわたって適切かつ十分に発揮されなければならないものと位置づけられています。

生物多様性の維持《いじ》や環境保全、気候変動の緩和《かんわ》と適応といった環境面の多面的機能は、近年特に注目されています。加えて、山で植林や森林管理をすることで得られる洪水《こうずい》や土砂崩《くず》れの防止といった防災機能は、社会的にも重要なものです。

また、農林水産業は地方の大切な雇用創出部門になっています。ここでいう「雇用《こよう》」は雇用契約《けいやく》を交わす働き方だけでなく、幅《はば》広く所得を得る機会をさします。農林漁業が地方に存続することで、人口が維持され、地域が活性化し、生活基盤《きばん》と農林漁業の生産基盤が維持されます。ひいては、社会全体の安定化につながります。

家族農業がこのような潜在力《せんざいりょく》を発揮できるように、社会は適切な政策を通じて支援《しえん》していく必要があるでしょう。日本の農と食をめぐる議論の中で、これまでの政策は経営規模の拡大や企業《きぎょう》の農業参入支援にかたよっていたという反省が、2020年ごろからようやくなされるようになりました。日本も国際社会が向かう方向に進んでいくのでしょうか。みなさん、一緒《いっしょ》に注目しましょう。

❸ 生態系と人間の共生

農林水産業という人間の営みは、自然の生態系と人間活動を結びつける役割を果たしています。ヒト科の動物という意味で人間は自然の一部ですが、他の動物とは大きく異なり、自然を利用し、ときに回復不可能なほど破壊《はかい》してしまいます。しかし、自然を破壊すれば、その影響《えいきょう》はまわり回って人間に返ってきます。気候変動による気象災害の増加は、とても分かりやすい例ですね。

　人間がどのように農林水産業を営むのかということは、人間が生態系の一部としてふるまい、他の多様な生物を尊重して共存

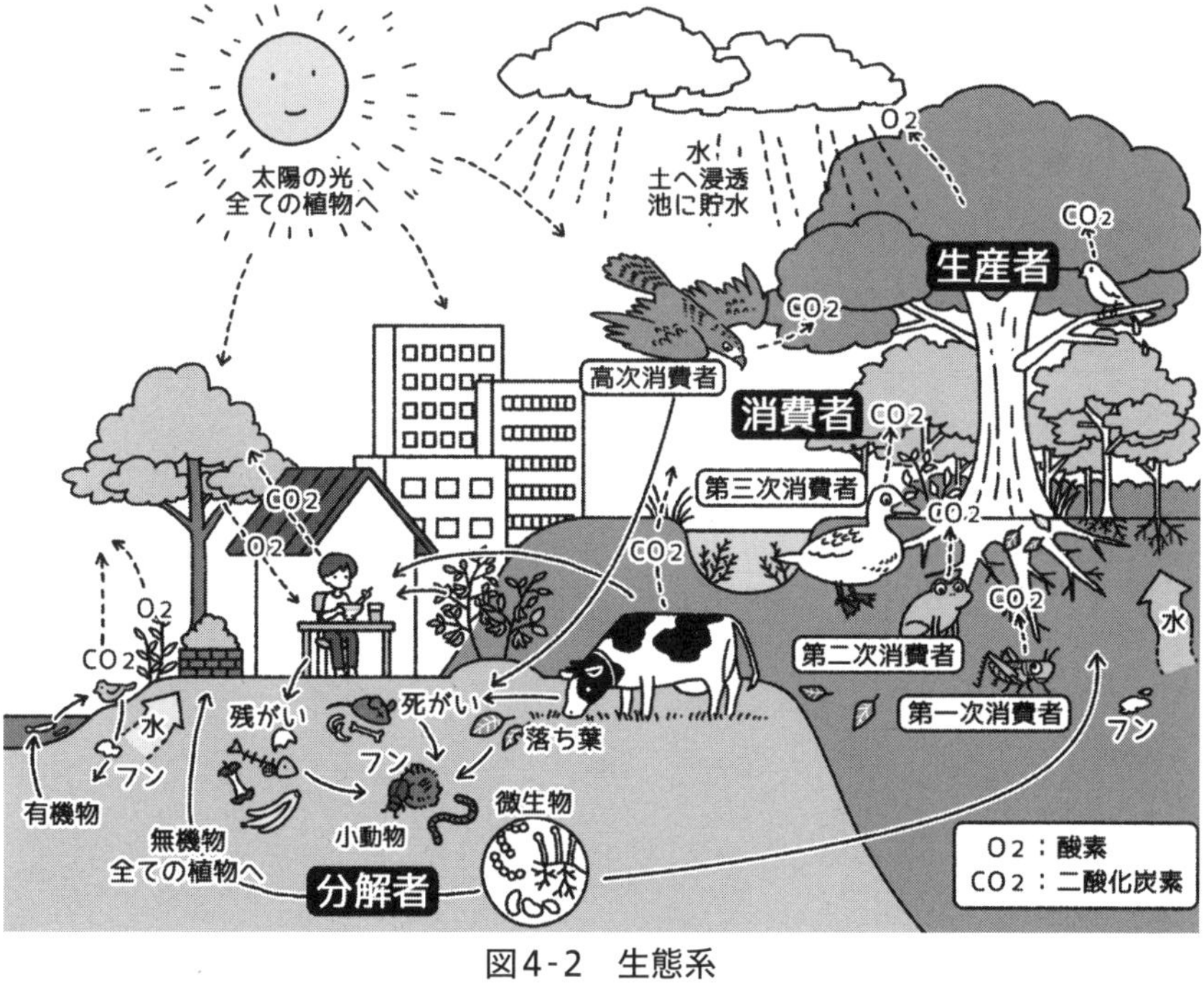

図4-2　生態系

する道を選ぶのか、それとも生態系を破壊して、その結果、人間自らをも破壊していく道を選ぶのかという選択《せんたく》でもあります。

そして、日々、私たちの食卓《しょくたく》を彩《いろど》る食べものをどのように選ぶのかが、明日の農林水産業の姿、ひいては私たち自身の未来を選択していることでもあるのです。

●土壌の微生物と私たち

生態系というと、草食動物が肉食動物に食べられる食物連鎖《れんさ》を思い浮《う》かべるでしょうか。確かに、それも生態系の営みのひとつです。でも、忘れてはならない大切な「役者」がいます。それは「微《び》生物」です。

普段《ふだん》は土の中にいたり、小さくて目に見えなかったりするため、微生物の役割をあまり意識せずに生活している人も多いかもしれません。あるいは、新型コロナウイルスのように、私たちの健康を脅《おびや》かす病原体を思い浮かべる人もいると思います。

土壌《どじょう》の中にはたくさんの微生物が存在します。土壌1グラムの中には、なんと約100万種、数十億個という数の細菌《さいきん》が存在します。この微生物が有機物を分解してくれるおかげで、植物は光合成に必要な栄養を根から吸収することができます。

土壌を豊かにするミミズ

それ以外にも、多様な微生物がバランスを保ちながら共生することで、植物の栄養になる窒素《ちっそ》を土壌中に固定したり、植物の生長に有害な細菌の繁殖《はんしょく》を防いだりしてくれるため、農作物を育てるために大切な役割を果たしています。

●人間の体と微生物

そして、私たち人間の体の表面や体内にも無数の微生物が存在しています。特に腸内にはフローラと呼ばれる無数の微生物がいて、近年の医学の研究によって私たちの健康維持《いじ》に多大な貢献《こうけん》をしてくれていることが分かってきました。

生活習慣病（糖尿病《とうにょう》、心臓病、脳卒中、がん等）のような慢性疾患《まんせいしっかん》やアレルギーのような自己免疫《めんえき》不全等は、腸内フローラの乱れや減少が関係しています。日々の食事を通じて、私たちは農産物に付着した微生物や発酵《はっこう》食品（漬物《つけもの》、納豆、ヨーグルト等）に入っている微生物を摂取《せっしゅ》しています。

しかし、近年は土壌《どじょう》中の微生物が減少しており、発酵食品を食べる習慣も減っていることから腸内環境が乱れ、さ

身近な発酵食品（納豆、ぬか漬け、ヨーグルト）

まざまな疾患をかかえる人が増えています。医学や土壌微生物学の研究成果は、有機農業や自然農法の実践《じっせん》者が長年警鐘《けいしょう》を鳴らし続けてきたことを科学的に裏づけたのです。

つまり、土壌の健康と人間の健康はセットなのだということです。昔の人たちは「**身土《しんど》不二《ふじ》**」、つまり「私たちの身体は土とひとつ」という教えを伝えてきました。いいかえれば、土壌中の微生物を増やせば、健康な農産物を摂取して人間も健康になれるということです。これは、「**茶色い革命**」(**ブラウン・レボリューション**)と呼ばれて、今、国際的にたいへん注目されています。

●土壌を守れ!

こうした新たな認識のもとに、国連は2015年を「国際土壌《どじょう》年」とし、2015~24年を**国連「土壌の10年」**と定めました。その理由は、人間の腸内フローラの状態を改善するためだけではありません。

第一に、化学農薬・肥料や除草剤《ざい》の使用によって土壌の微生物の種類も数も減少しており、土壌浸食《しんしょく》と砂漠《さばく》化、地力低下が進行していることがあげられます。水田稲作《いなさく》をしている日本でも、農家の方のお話を聞くと「昔より土がやせた」といいます。

このままでは、あと50年足らずで地球上の土壌が枯渇《こかつ》し、農業を営むことができなくなると国連は警鐘《けいしょう》を鳴らしています。一度微生物が消えてしまった土地には、いくら化学肥料をあたえても農産物の収量をあげることはできません。保水力も低下して、作物はすぐに枯《か》れてしまいます。逆に微生物が豊かで健康な土壌は、農業生産を飛躍《ひやく》的に向上させることが国際比較《ひかく》実験から明らかになっています。

第二に、土壌中の微生物を回復し豊かにすると、土壌の中に温室効果ガス（二酸化炭素、一酸化二窒素《ちっそ》、メタン等）を固定することができるため、気候変動対策に役立つことがあげられます。土壌中の微生物を回復するためには、有機質堆肥《たいひ》や緑肥《りょくひ》（草木の葉や茎《くき》）を土壌に戻《もど》すことや、不耕起《ふこうき》という土を耕さない農業が勧《すす》められています。

図４-３　国連「土壌の10年」のロゴ

●アグロエコロジーの担い手としての家族農業経営

それでは、土壌の微生物を含《ふく》む生態系と人間が共生していくためには、どうしたらよいのでしょうか。ＳＤＧｓの目標１「貧困をなくそう」、目標２は「飢餓《きが》をゼロに」、目標３「健康と福祉《ふくし》」、目標12「つくる責任、つかう責任」、目標14「海の豊かさ」、目標15「陸の豊かさ」などを実現し、ひいては目標13「気候変動対策」にもつながる農業として、今注目されているのが**アグロエコロジー**です。

アグロエコロジーは、持続可能な農業の代名詞として国際的に認知されており、未来の農業のあるべき姿とされています（第２章参照）。アグロエコロジーとは、直訳すれば「農業生態学」となりますが、ひとつの学問分野にとどまらず、自然の生態系を模倣《もほう》し、また生態系の営みの力を借りて営まれる農業に関する科学であり、その実践《じっせん》であり、そのための社会運動であると定義されます。

すなわち、農業の営みを生態系の物質循環《じゅんかん》の中に位置付けて、生態系を維持《いじ》発展させるような農と食のシステムがアグロエコロジーなのです。アグロエコロジーは、化学農薬・化学肥料、遺伝子組み換《か》え作物を用いない有機農業や自然農法と技術的に重なる部分がありますが、循環型経済や責任あるガバナンス等の社会的側面もあります（表4-2）。

アグロエコロジーという言葉は、日本ではまだなじみが薄《うす》いのですが、実践としては有機農業や自然農法というかたちで行われてきました。日本で生まれた産消提携《ていけい》は、生産者と消費者が直接結びついて助け合う農産物の取引形態で、欧米では「地域で支える農業」（CSA）として広がっています。産消提携もまた、アグロエコロジーと親和的な活動です。

そして、アグロエコロジーの実践は、小規模な家族農業経営が担ってきました。そして、特に女性がアグロエコロジーの実践において重要な役割を果たしており、また、アグロエコロジーの実践が女性の能力の向上や立場の強化に役立ってきました。つまり、SDGsの目標5「ジェンダー平等」にも貢献《こうけん》しているのです。

さらに、アグロエコロジーは単なる農法ではなく、循環《じゅんかん》経済、連帯経済という互《たが》いに助け合う社会のあり方をもさしています。また、人間や社会の価値を尊重し、公平で質の高

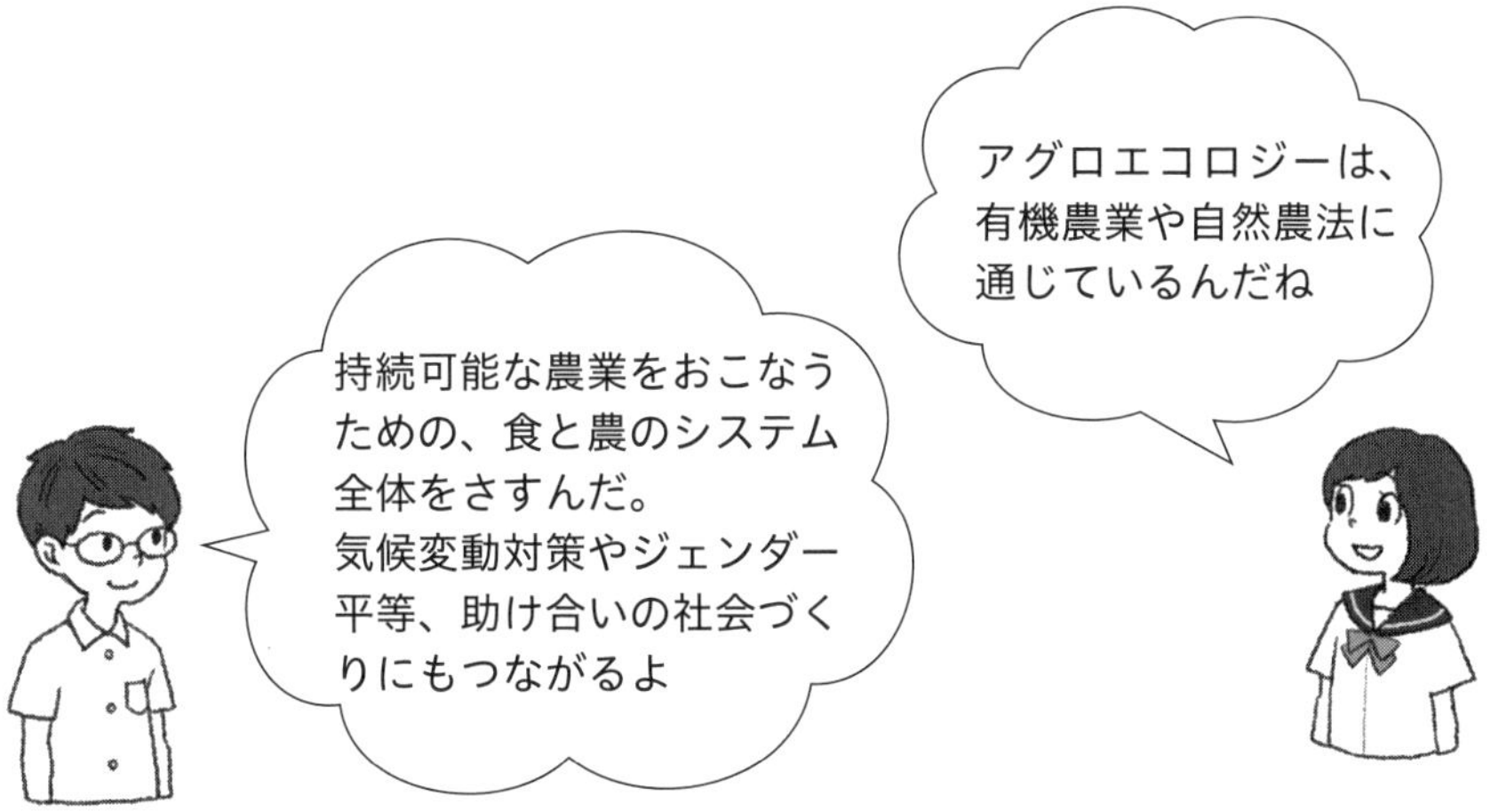
持続可能な農業をおこなうための、食と農のシステム全体をさすんだ。
気候変動対策やジェンダー平等、助け合いの社会づくりにもつながるよ
アグロエコロジーは、有機農業や自然農法に通じているんだね

表4-2　アグロエコロジーの10要素

	要素	内容
1	多様性	自然資源を保全しつつ食料保障を達成するためのカギ
2	知の共同創造と共有	参加型アプローチをとれば地域の課題を解決できる
3	相乗効果	多様な生態系サービスと農業生産の間の相乗効果を
4	資源・エネルギー効率性	農場外資源への依存《いぞん》を減らす
5	循環《じゅんかん》	資源循環は経済的・環境《かんきょう》的コストの低減になる
6	レジリエンス（回復力）	人間、コミュニティ、生態系システムのレジリエンス強化
7	人間と社会の価値	農村の暮らし、公平性、福祉《ふくし》の改善
8	文化と食の伝統	健康的、多様、文化的な食事を普及《ふきゅう》する
9	責任ある統治	地域から国家の各段階で責任ある効果的統治メカニズムを
10	循環経済・連帯経済	生産者と消費者を再結合し、包括《ほうかつ》的・持続的発展を

資料：FAO (2018b) より著者作成。

い暮らしをめざしています。

したがって、アグロエコロジーの実践を広げることは、SDGsの目標10「不平等をなくそう」、目標16「平和と公正」の実現にも近づくことになります。さらに、働きがい、持続可能な社会に必要な技術革新、教育、パートナーシップなど、実はすべてのSDGsの目標がアグロエコロジーの実現によって達成に大きく近づくと期待されています。

第5章

家族農業の課題をのりこえれば新しい社会がみえてくる

夏休みが終わり、生徒たちは学校に戻《もど》ってきました。

「久しぶり！　宿題できた？」

「うん、なんとか間に合ったよ」

「なんか元気ないみたい。どうしたの？」

「実はね、夏休みに田舎で農業をしているおじいちゃんとおばあちゃんのところに行ったの」

「へぇー、遊びに行ける田舎があるってうらやましいな」

「そこで食べた野菜やお米、卵がすっごくおいしくて、私も将来は農業やろうって思ったの」

「わぁ、いいじゃない！　応援《おうえん》するよ！」

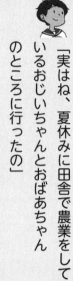

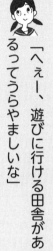

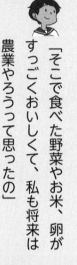

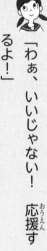

「でもね、家に帰って相談したら、お母さんに反対されちゃった」

「まぁ、確かに農業はたいへんな仕事だとは思うよ」

「農業をするのは、なんでたいへんって言われるんだろう。新規就農する人だっているよ」

「そうだね、私たちの生命《いのち》をつなぐために農業は必要だものね。いつでもだれかが農業をしなきゃいけないよね」

「どうしたら農業をする人たちが増えるんだろうね」

❶ 中高生の将来の夢とは

私たちが毎日食べている農産物や食品の原料を生産してくれている家族農業を営む農家が減っています。若い世代で農業を継《つ》いだり、新たに始めたりする人が少ないため、農業をする人たちは年々高齢《こうれい》化しています（第1章参照）。農業就業人口の高齢化率（65歳《さい》以上の割合）は、実に7割にのぼります（2019年）。なぜ、若い世代の人たちは農業をしたいと思わなくなったのでしょうか。

みなさんは、将来どのような職

表5-1　中学生が将来つきたい職業トップ10

	男子（回答者100人）	%		女子（回答者100人）	%
1	YouTuber《ユーチューバー》などの動画投稿《とうこう》者	30.0	1	歌手・俳優・声優などの芸能人	18.0
2	プロeスポーツプレイヤー	23.0	2	絵を描く職業	16.0
3	ゲームクリエイター	19.0	3	医師	14.0
4	ITエンジニア・プログラマー	16.0	4	公務員	12.0
5	社長などの会社経営者・起業家	14.0		看護師	12.0
6	公務員	9.0	6	ショップ店員	11.0
	ものづくりエンジニア	9.0	7	YouTuberなどの動画投稿者	10.0
	プロスポーツ選手	9.0	8	文章を書く職業	9.0
9	歌手・俳優・声優などの芸能人	8.0	9	動物園や水族館の飼育員	8.0
10	会社員	7.0	10	教師・教員／デザイナー／美容師	7.0

資料：ソニー生命アンケート結果（2019年8月6日）
注：複数回答（3つまで）

業に就きたいですか。みなさんと同世代の中学生や高校生がどのように考えているのか、２０１９年に実施《じっし》されたアンケートの結果をみてみましょう。

「将来つきたい職業」のトップ10には公務員や会社員、教師・教員などに加えて、最近流行している動画投稿《とうこう》サイトのユーチューブなどに動画投稿をして広告費収入を得る仕事や、ｅスポーツのプロ選手という回答もあります。男子はエンジニアや社長、研究者、女子は看護師や保育士、美容師という回答も上位にきています。

ここで、何かに気がつきましたか。不思議なことに、農業、林業、水産業などの一次産業は中学生、高校生ともトップ10に入っていません。なぜなのでしょうか。

表5-2　高校生が将来つきたい職業トップ10

	男子（回答者100人）	%		女子（回答者100人）	%
1	ITエンジニア・プログラマー	20.8	1	公務員	15.0
2	社長などの会社経営者・起業家	16.8	2	看護師	11.0
3	YouTuberなどの動画投稿者	12.8	3	歌手・俳優・声優などの芸能人	8.8
4	ゲームクリエイター	12.3	4	カウンセラーや臨床《りんしょう》心理士	8.5
5	ものづくりエンジニア	11.3	5	会社員	8.0
6	公務員	10.3	6	教師・教員	7.8
7	プロeスポーツプレイヤー	9.3	7	保育士・幼稚《ようち》園教諭《きょうゆ》	7.8
8	教師・教員	7.3	8	絵を描く職業	7.3
9	会社員	6.8	9	文章を書く職業	6.8
	学者・研究者	6.8		ショップ店員	6.8

資料：ソニー生命アンケート結果（2019年8月6日）
注：複数回答（３つまで）

もし、みなさんが「将来、農業を職業にしたい」と言ったら、家族や親せき、友だち、学校の先生、近所の人たちは何と答えるでしょうか。もろ手をあげて応援《おうえん》してくれる人は、少ないかもしれません。それは、なぜなのでしょうか。

❷ 農家の所得安定

●減少する生産農業所得

第一に、「農業によって生計を立てていくことは難しい」と思われていることが理由にあります。農林水産省の統計によると、生産農業所得、つまり農家の所得は近年減少しています。1994年には日本全体で5・1兆円あった生産農業所得は、2009年に2・6兆円に半減しました。同時期に農業総産出額も11・3兆円(1994年)から8・2兆円(2009年)へと3割近く減少しています(図5-1)。

これは、貿易自由化によって安価な農産物の輸入量が増えて、市場で競争しなければならない国産の農産物の価格が低下したことや、競争に耐《た》えられない農家の方たちが農業をやめることで生産量が減少したことが影響《えいきょう》していると考えられます。また、農業を営むために必要な経費である燃料や農業資材の価格が値上がりしたことも、農業経営を圧迫《あっぱく》しました。

さらに、農業予算（補助金）の減少も響《ひび》いています。1982年に3・7兆円でピークを迎《むか》えた農林水産関係予算は、2019年には2・3兆円になり、4割近く減少しています。その後、2018年の生産農業所得は3・5兆円に回復していますが、それでもピークを3割以上下回っています。

●農家の所得は本当に低い？

それでは、農家と給与《きゅうよ》所得者（サラリーマン）世帯の平均年収を比較《ひかく》してみましょう。販売《はんばい》農家（経営耕地面積30アール以上または農産物販売金額が年間50万円以上の農家）の農業所得は174万円です（表5-3）。これは、非正規労働者の平均給与179万円を下回る水準です。働く貧困層といわれる「ワーキングプア」は年収200万円以下とされていますので、この基準も下回ることになります。

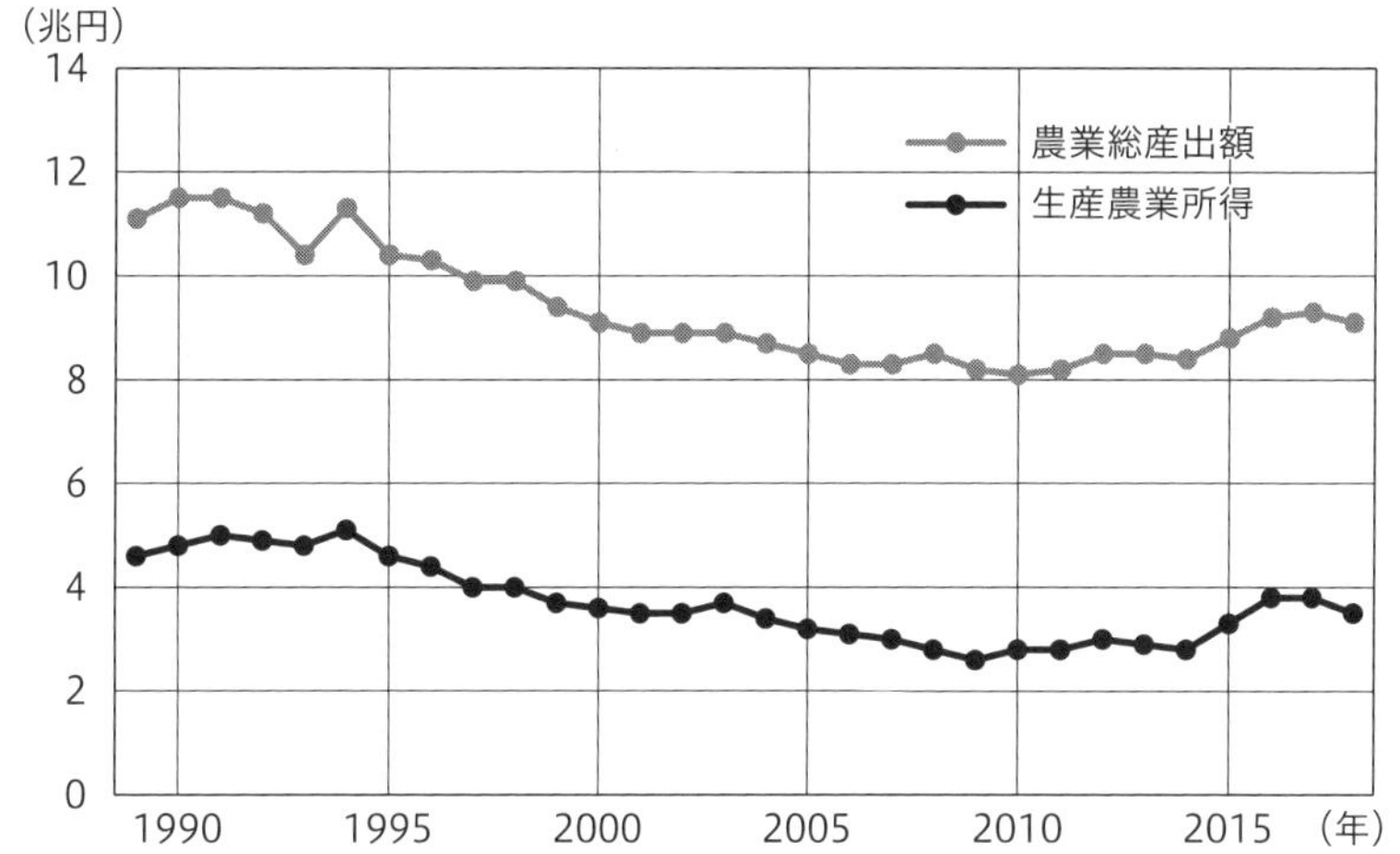

図5-1　農業総産出額と生産農業所得の推移

資料：農林水産省統計より作成。

前出の中高生のアンケート結果では、将来の夢は「お金持ちになる」が中学生男子で1位（43・0％）、「安定した毎日を送る」が3位（39・0％）でした。この数字だけみると、なかなか農業を仕事にしたいと思う人は出てこないのかもしれません。親や親せき、学校の先生や友人もつい心配して反対してしまう気持ちも分かる気がします。

ただし、注意が必要なのは、販売農家の平均年収には農業所得以外の所得（自営業・給与所得、補助金、年金等）もふくまれている点です。農業以外の所得をふくめると、販売農家の平均年収は５１１万円になります。サラリーマンの平均給与は４４１万円なので、実は販売農家の平均年収の方がサラリーマンの平均給与よりも高いことが分かります。正規労働者の平均給与は５０４万円なので、それをも上回っています。

さらに、農業を主な所得源とする主業農家（農業所得が主で、年間60日以上自営農業に従事している65歳《さい》未満の世帯員がいる農家）の平均農業所得は６６２万円、その他の収入をふくむ農家所得は８０１万円です。日本で年収８００万円を超《こ》えるサラリーマンの割合は９・８％（２０１８年）ですので、主業農家はかなり高額所得者ということに

表5-3　給与所得者の年間給与と販売農家の年間所得の比較（2018年）

	給与《きゅうよ》所得者			販売《はんばい》農家	
		うち正規労働者	うち非正規労働者		うち主業農家
給与／農家総所得	441万円	504万円	179万円	511万円	801万円
うち農業所得	—	—	—	174万円	662万円

資料：農林水産省「農業経営統計調査」および国税庁「民間給与実態統計調査」より著者作成。

なります。さらに、多くの農家はお米や野菜など家庭で消費する食料を生産していますので、食費もサラリーマン世帯ほどかかりません。

●農家の所得安定のために

農家には農業のみで生計を立てる専業農家と他の所得（農外所得）を合わせて生計を立てる兼業《けんぎょう》農家があります。日本では農家の３分の２は兼業農家であり、多くの農家は農業だけでなくさまざまな副業（商店経営や食品製造、海や川の幸の漁等の自営業、会社や役場、農協、病院・介護施設《かいごしせつ》、森林組合、旅館等の正規・非正規の雇用《こよう》）を組み合わせてリスク分散をしながら農業を営んでいます。農家にとって農外所得は重要なものですので、農村で多様な農外所得を得られるようにする必要があります。

同時に、農業所得の向上や安定化をめざすことも重要です。ただし、経営規模を拡大すれば農業所得が増えるというほど農業経営は単純ではありません。経営規模拡大にともなって設備投資や農業資材の費用が増したり、人を雇《やと》って人件費がかかったり、災害や家《か》畜《ちく》の感染症《かんせんしょう》のようなリスクを管理することが難しくなったりする場合もあります。

それぞれの地域の自然条件や人口密度、生産品目、市場条件、環境や生物多様性などを考慮《こうりょ》して、農業経営の最適規模を再定義する必要があります。さらに、農業経営を継続《けいぞく》できるように政府が**直接支払《しはらい》**等の十分な予算配分をして支援《しえん》することも欠かせません。

❸ 変わる社会的評価

●農業はなぜ3Kといわれる？

それでは、所得の問題が解決すれば、就農を希望する人は増えるのでしょうか。必ずしもそうとはいえません。実際、サラリーマン世帯よりも多くの年収を得ているはずの販売《はんばい》農家や主業農家でさえも後継《あとつ》ぎがいない場合が多いため、農村では空き家や耕作放棄《ほうき》地が増えています。それはなぜでしょうか。

背景には、農林水産業の価値が正しく評価されておらず、社会的に低い評価しかあたえられていないことがあります。太陽の下で汗《あせ》をかいて力仕事をする農林水産業は重労働のキツイ仕事であり、冷房《れいぼう》のきいたオフィスでパソコンに向かう仕事の方がよいと考える人は少なくありません。

また、農作業中の事故による死亡者は年間３００人前後で推移しています。これは、10万人当たりの人数に換算《かんさん》すると15・６人となり、建設業の６・１人、全産業平均の１・４人を大きく上回っています（２０１８年）。このため、農業はキケンな仕事というイメージがあるのも事実です。

ただし、この数値には農業の高齢《こうれい》化が影響《えいきょう》しています。というのも、農作業中の事故による死亡者のうち65歳《さい》未満の方は10万人当たり6・7人となっており、建設業の水準と大きな差はありません。実は、65歳以上の方の農作業中の事故死亡者数が19・7人と高く、平均値を押《お》し上げています。つまり、農家の高齢化、すなわち後継《こうけい》者不足が陰《かげ》を落としているのです。農作業中の事故を減らす工夫とともに後継者の確保が必要であることが分かります。

以上のような背景から、農業はいわゆる「3K」の仕事とみなされてきました。3Kとは、「きつい」「汚《きたな》い」「危険」の頭文字をとった呼び方で、就労希望者が少ない職種といわれています。土に触《さわ》った経験が乏《とぼ》しい人にとっては、汗を流して土と仕事をする農業は「キタナイ」というイメージがあるのも残念ながら事実です。さらには、「稼《かせ》げない」「結婚《けっこん》できない」も加わって「5K」といわれることさえあります。ここまでくると、もうだれも農業をやりたくないと思ってしまいそうです。

●都市のオフィスから農村の田畑へ向かう

ところが、都会のオフィスで働く人の中にもリストラ（整理解雇《かいこ》）で職を失ったり、過重な責任や仕事量を負担させられて心身の体調を崩《くず》し、仕事を辞めたりする人が増えています。また、働いても働いても貧困から抜《ぬ》け出せないワーキングプアと呼ばれる労働者が増えており、その多くが非正規労働者です。

さらに、2020年に世界的大流行（パンデミック）となった新型コロナウイルスは、満員電車で通勤し、人口過密の都市部で暮らすことのリスクを私たちに再認識させました。

このような中、都会のストレスに満ちた暮らしを見直して農村地域に移住し、農業や林業、漁業をしたいと考える人たちが増えています。毎日、広い青空の下で農作物の生長やすくすく育つ家畜《かちく》たちに囲まれて過ごすことに、喜びを感じる人が増えているのです。

さらに、農業をすることで安全な食べものを提供したり、生物多様性や国土を守ったり、地域社会を活性化して社会に貢献《こうけん》することに生きがいを感じる人も増えています。こうした人たちによる「田園回帰」と呼ばれる都市から地方への人口移動は、新型コロナウイルス以前から増える傾向《けいこう》にありましたが、

田植えをする若い農家

今後はさらに加速すると考えられます。

❹ 学歴社会を脱して新たなモノサシをみつける

●日本の学歴社会がもたらしたもの

今後は、日本特有の学歴志向も変わるかもしれません。日本では、「学歴が高い人」イコール「一流の大企業《きぎょう》で働く」「所得の高い仕事に就く」「安定した公務員になる」などの固定観念がまだ根強いようです。

私は以前、大学院で農業を学ぶ若者に出会いました。彼《かれ》の実家は農家なのですが、周りの人たちは彼に「大学院にまで行ったのに、農家の後継《あとつ》ぎになるなんてもったいない」と言うそうです。彼は実家の農業を継ぐことは考えていませんでした。

私はとても残念に思いました。彼個人の問題ではありません。日本では大学院だけでなく大学で農業を学んだ学生、農業高校を卒業した生徒の多くが就農しません。道府県の農業大学校の卒業生の50％が就農しているのに対して、農業高校や農業系大学の卒業生は３％しか就農していません（２０１２年、農林水産省）。

●フランスの若者と農業

　諸外国では、どのような事情になっているのでしょうか。例えば、フランスでは、大学院で農業を学び、修士号や博士号の学位を取得した若者が目を輝《かがや》かせて農業の道に進んでいます。

　かれらは、「農業は社会に欠かせない仕事（エッセンシャルワーク）」であることを理解しているだけでなく、そのことに誇《ほこ》りを感じ、さらに「自分が農業を通じて社会をよりよくしたい」という理想に燃えています。

　また、フランスでは中学生から職業教育が重視されているため、「学歴が高い」イコール「人として優れている」「人から尊敬される」とは思われていません。早い時期から専門的な農業教育を受けて就農することに夢を抱《いだ》く若者が日本よりも多いため、フランスの農業経営者の平均年齢《ねんれい》は日本よりも大幅《おおはば》に若くなっています。日本の農業就業者の平均年齢66・7歳《さい》に対して、フランスの農業経営者の平均年齢は49・3歳であり、17・4歳若くなっています（201

フランスの農業大学院大学

７年）。それでも、フランスでは農家の高齢《こうれい》化に対して強い危機感を持っています。

海外では農業の価値が再評価され、貧困・飢餓《きが》の問題や環境問題、気候変動などの社会的課題を解決できるカギとなる極めて重要な仕事だと認識されています。日本でも、こうした認識が広がれば農業の未来が変わってくるはずです。

大学院修了後に農業部門で働くフランスの若者（本人提供）

❺ 新しい家族関係を築く

●今も続く家父長制

どうも農業は、若者の将来の仕事としてかなり有望であることがみえてきました。所得は相対的に高く、社会的評価も今後は高まってくると考えられるからです。もちろん、事故を減らしたり、所得を安定化したりするための施策《しさく》や支援《しえん》制度が欠かせないことはいうまでもありません。でも、それで農業をする人は本当に増えるのでしょうか。農業の課題はそれだけでしょうか。

実は、農業を営む人たちの伝統的な家族関係や地域コミュニティの人間関係、地域の風習などに違和《いわ》感や抵抗《ていこう》感を持って、実家の農業を継《つ》ぐのをためらったり、いったん就農しても途中《とちゅう》でやめたりしてしまうケースがあります。

例えば、農村地域の家庭や農家では、多くの場合は年長の男性である「家長」（世帯主）が家のさまざまなことに決定権を持っていて、家族の他の構成員はその決定に従わなければならないという伝統があります。これは**「家父長制」**と呼ばれています。

●女性が農村や農業を離れる理由

また、「あなたは男性だからこの仕事」「あなたは女性だからこの仕事」というように、農作業や家事、育児、介護《かいご》などのさまざまな仕事の役割分担の中に性差にもとづく伝統的な価値観が残っています。これは、ほとんどの場合、女性に過重労働を強いるもので、「男尊女卑《だんそんじょひ》」といいます。また、「女性に学問はいらない」「女性は大学に行かなくていい」などの男女差別も農村ほど根強く残っています。

このことは、若い女性が進学や就職をきっかけに農村から都市に流出して戻《もど》ってこない現象と結びついています。若い女性が少なくなってしまった地域では出生数が低下するので、高齢《こうれい》化と人口減少に拍車《はくしゃ》がかかり、地域の冠婚葬祭《かんこんそうさい》ができなくなったり、自治体としての機能を維持《いじ》できなくなったりする可能性が懸念《けねん》されています。

また、結婚《けっこん》相手やパートナーがみつからない農家の男性も増加しています。農村では、フィリピン等の外国から「お嫁《よめ》さん」を迎《むか》えるお見合いが実施《じっし》されるほど、若い女性が不足しているのです。

最近では、農林水産省が「農業女子プロジェクト」を実施して、女性の就農を支援《しえん》しています。**男女共同参画**の社会をつくるうえで、農業の世界にも女性が増えることは重要な意味があります。しかし、夢を持って就農した女性は伝統的なジェンダー観に直面しています。

例えば、新規就農の補助金を受け取るために町役場に事業計画を提出した女性が、窓口の男性に「あなたは女性だから、結婚や妊娠《にんしん》、出産でこの計画を達成できないかもしれない」と門前払《ばら》いされたりしています。

また、「女性ならではの発想」や「女性らしい視点」を求められる風潮に、かえってプレッシャーを感じる女性は少なくありません。こうした風潮こそ伝統的なジェンダー観の名残です。女性でも、男性でも、どんな性でも、だれもが働きやすい環境、生きやすい社会を構築する必要があり、それは農業部門も例外ではありません。

●新しい家族関係にむけて

そのための意識改革は、家庭で、地域で、行政で、教育で、ビジネスで、それぞれの場で求められています。それができれば、若い女性が農村地域にとどまり、あるいは新たに移住して、農業を継承《けいしょう》したり始めたりする可能性は一気に高まるはずです。

その一環《いっかん》として、家族の世帯員間で結ぶ**「家族経営協定」**があります。だれがどのような仕事をして、どのくらいの休息や報酬《ほうしゅう》を得るのかをあらかじめ決めておくことで、不要な緊張《きんちょう》や対立を避《さ》けることができると期待されています。

「家族経営協定」では、農作業だけでなく家事や育児の分担を決める場合もあるよ。だれかひとりがしんどい思いをしなくてすむようにするんだ

❻ 地域社会と生活条件の再生

●伝統的な風習と変化の兆し

もうひとつの課題は、伝統的な地域コミュニティに特有の風習や慣習です。農村では、今でも家にカギをかけずに外出する人がいます。隣《となり》近所を信頼《しんらい》し、助け合う精神が受け

継《つ》がれているのです。それは同時に、都会に比べてプライバシーが守られない可能性が高く、うわさもすぐに広まってしまうという関係性でもあります。

また、ある集落に住めば、その地域の氏神《うじがみ》様を信仰《しんこう》する「氏子《うじこ》」であることを求められるので、思想信条の自由を重んじる現代人の中には強い抵抗《ていこう》感を持つ人もいます。また、地域によっては学校のＰＴＡ役員や清掃《せいそう》活動、消防団、冠婚葬祭《かんこんそうさい》のための活動への参加が欠かせません。こうした活動を負担に感じる人は少なくありません。

さらに、地域コミュニティの話し合いに参加できるのは家長（世帯主）のみという地域が多く、若い世代や女性の意見が反映されにくい環境もあります。

しかし、最近ではこうした慣習を見直したり、柔軟に対応する地域も出てきています。また、地域コミュニティの維持《いじ》に必要な活動に参加することで、地域社会の一員として成長する若い世代も少しずつ増えています。義務的な地域の活動だけでなく、スポーツや交流イベントなどを通じて信頼《しんらい》関係を築くこともめざされています。周囲の人たちとのつながりを築けない「無縁《むえん》社会」といわれる現代でも、農村に残る温かい人と人の連帯を懐《なつ》かしく感じたり、新鮮《しんせん》に感じる人も増えています。

●都市と農村の格差

農村から都市に人口が流出したり、農業部門から他の部門に労働力が移動したりしてしまうのは、農村と都市の間の格差も影響《えいきょう》しています。高度経済成長期以降、産業構造の比重が一次産業（農林水産業）から二次産業（製造業）へ、三次産業（サービス業）へと移り変わり、それに合わせて農村から都市へ人が大量に移動しました。

　都市は農村よりも就業機会が多く、また賃金水準が相対的に高かったこと、また医療《いりょう》や教育、娯楽《ごらく》・レジャーの機会も充《じゅう》実《じつ》していたことから、都市化と過疎《かそ》化が同時に進行しました。

　農村の過疎化が進むと、採算が合わなくなった商店が店を閉じ、病院や郵便局が消え、農業協同組合、さらには自治体までもが合併《がっぺい》などで窓口を閉鎖《へいさ》したり、機能を縮小したりしました。若い人が少なくなり人口減少と高齢化が進むと、地域の足であった電車やバスの本数が減り、やがては廃線《はいせん》になります。移動手段がなくなると、日々の買い物に困る「買い物難民」や通院できない「医療難民」が一気に増加します。「もう、この地域には住めない」ということになれば、周辺の都市部へと人が移り住み、さらに過疎化に拍車《はくしゃ》がかかります。そうなれば地域で空き家や耕作放棄《ほうき》地が増え、残った農家の方は近所の農地を預かって規模拡大をしても、畔《あぜ》の草刈《くさか》りや水路の清掃《せいそう》の人手が足りず、農業を続けることが困難になってきます。

地域で暮らしていくには、買い物や通学・通院のための移動手段が必要だね

●鳥獣害と災害

また、人間の活動が低下することで、集落近くの山から野生のイノシシやシカ、サル、クマ、鳥などが田畑の農作物を食べに下りてきたり、遭遇《そうぐう》した人を襲《おそ》ったりすることが増えてきました。2018年度の鳥獣《ちょうじゅう》害による農作物の被害《ひがい》額は158億円、被害面積は5・2万ヘクタールにのぼります。

さらに近年は、気候変動によって年間の農作業スケジュールが変わったり、収量が低下したり、病害虫が増加したりするだけでなく、豪雨《ごうう》や洪水《こうずい》、土砂崩《くず》れといった気象災害も毎年のように発生しています。ひとたび大規模災害が起きれば、農地や家畜《かちく》、農業機械や自宅、もしかしたら家族や自分の生命《いのち》さえも失うリスクがあります。

基本的な生活インフラとして、買い物、医療《いりょう》や教育に不自由せず、文化的活動を営むことができる環境を維《い》

山から民家に下りてきたサル

持《じ》・整備するために、政策的支援《しえん》が必要であることはいうまでもありません。

さらに、農業などの人間の活動が低下することで生じている鳥獣害や、私たちの環境負荷の高い暮らしが生み出した気候変動は、農業や林業、漁業などの人間活動の再活性化や環境保全型の営みへ転換《てんかん》することで積極的に対応することが求められています。

❼ 当事者の声で新たな政策をつくろう

それでは、現在の農業関連政策は、上記の課題を解決するために十分に機能しているでしょうか。日本の農業や農村の危機的状況《じょうきょう》をみれば、現行の政策が十分機能しているとは残念ながらいえません。

1980年代から新自由主義的政策が農業分野にも適用されるようになり、貿易自由化を前提として、農業は経営規模の拡大によるコスト削減《さくげん》と国際競争力強化を求められ、農業経営を法人化したり企業《きぎょう》の参入を促《うなが》したりすれば、「強い農業」を実現できると唱えられてきました（第2章参照）。

しかし、その政策によって農家数は急減し、高齢《こうれい》化も世界に類をみないほど進みました。一部の大規模農業に農地を集中すればするほど、地域の人口は減少し、共同作業ができなくなり、小中学校が統廃合《とうはいごう》されて子どもは通学できなくなり、地域の活力は失われていきます。

日本の農地の4割は中山間地域《ちゅうさんかんちいき》にあり、そこでは傾《けい》斜《しゃ》地に農地があるため経営規模の拡大は困難です。それでも小規模な家族農業が地域の農地や暮らしを維持《いじ》し、農産物の4割を供給し、農業の多面的機能を提供するために代々大きな貢献《こうけん》をしてきました。

また、都市周辺の農業も小規模な家族農業が多くを占《し》めています。農業の大規模化や企業化に偏重《へんちょう》した政策では、こうした農業現場の実態に合った支援《しえん》はできません。

これまで、もっと多くの小規模な家族農家の声を政策に反映させていたら、このようなかたよった政策を何十年も続けることはなかったはずです。ところが、農業政策を立案する立場にある人の多くは、小規模な家族農業を「非効率」とみなし（農業の効率性を測る指標の多様化については第3章参照）、また「政策決定に

中山間地域・岐阜県恵那市の坂折棚田の風景

関与《かんよ》する能力はない」とみなしてきました。

また、農業関連予算が減少する中で統計予算が削《けず》られ、小規模な農業の実態調査は行われなくなりました。実態を把握《はあく》できていなければ、適切な政策をつくり、必要な予算を配分することもできません。

しかし、こうした政策的偏見《へんけん》をのりこえるときがきました。本書でみてきたように、小規模な農業や家族農業の価値が再評価され、小規模な家族農業を中心とした政策に転換《てんかん》し、支援を強化することが、いま国際的に求められています。私たちは古い価値観に別れを告げて、新しい時代の農業関連政策を一緒《いっしょ》につくっていかなくてはなりません。

そのためには、農家や農村に住む人たちだけでなく、消費者や都市住民も行動する必要があります。もしこの転換で遅《おく》れをとれば、日本の農業や農村はなくなってしまうと危機感を持つ人が増えています。それでは、何から始めればよいのでしょうか。次章でみていきましょう。

第6章　新しい家族農業にむけて

「先生、今、農業をする若い人が減っています。でも、私が農業をしたいというと母はいい顔をしません」

「農業にいろいろ課題があるのは分かるのですが」

「うちはベランダで野菜を育てていて、最近はナスを収穫《しゅうかく》しました。土をいじるのって楽しいよ」

「農業に興味を持ってくれてうれしいな。そういえば『エディブル・スクールヤード』という取り組みがあるよ」

「エディブル……？　どういう意味ですか」

「『食べられる校庭』と訳せるわね」

「そこで何をするんですか」

「校庭に畑をつくって、野菜を育てて、収穫したり調理してみんなで食べたりするのよ」

「おもしろそう！　ぼく、野菜を育てるのは得意だよ」

「それ、やりたいです‼」

「そうね、一緒《いっしょ》にやってみようか！　おうちの方や地域の方たちを招待するのもいいね」

「今できることから農業について学んでいけばいいんだね」

❶ だれもが農的暮らしをできる社会に

●農業に魅《み》せられる人の環《わ》が広がっている

近年、農業を体験してみたい、始めてみたいと思う人が、若い世代でも少しずつ増えています。2000年代から始まった人気歌手グループによる農業体験番組が好評を博したり、オリンピック選手が農業を始めたりしたことも話題にもなりました。農業とは縁《えん》遠いイメージの茶髪《ちゃぱつ》につけマツゲの女子が元気に農業をする「農《ノ》ギャル」の登場は、今まで農業に関心がなかった層にも変化をもたらしました。

農業とひと言でいってもさまざまなかたちがあります。大規模な農業や企業《きぎょう》による先端《せんたん》技術を用いた農業だけではなく、小規模な農業や家族で営む農業が日本や世界の食料生産を支えています。農業を専門とする専業農家もあれば、農業以外の仕事を組み合わせる兼業《けんぎょう》農家もあります。

兼業農家は、「半農半X」（Xは自分のやりたいこと、好きな仕事等）という新しい生き方としても再評価されるようになりました。会社で過労になるより、収入は減っても心豊かに暮らしたいと思う20～40代の子育て世代が増えているのです。

　また、仕事をしながら、あるいは退職後に、ときに子育てや介護《かいご》をしながら営む趣味《しゅみ》的農業や家庭菜園を楽しむ人たちも数多くいます。家庭菜園の場は庭だけでなく、ベランダやキッチンに広がり、盆栽《ぼんさい》のように小さな「手のひら菜園」まで登場しています。

　地域で農地の区画を分け合って野菜等を栽培《さいばい》する市民農園に応募《おうぼ》する人も増えています。都市部ではかなり高倍率の抽選《ちゅうせん》になることもあります。ビルの上の屋上菜園も広がりをみせています。

エディブル・スクールヤード

校庭につくられた畑

育てた野菜を収穫する子どもたち

野外で行われる授業

（すべて東京都多摩市立愛和小学校）

小学校でも**田植え体験**や**エディブル・スクールヤード**（食べられる校庭の意）と呼ばれる食育菜園の取り組みが行われています。エディブル・スクールヤードはアメリカのカリフォルニア州で1995年に始まり、日本など世界各地に取り組みが広がりました。生態系や栄養について学びながら、栽培や調理の実践《じっせん》的能力を身につけ、同時に持続可能性についても理解を深めることがめざされています。

日本では、エディブル・スクールヤード・ジャパンが東京都多摩《たま》市立愛和《あいわ》小学校と連携《れんけい》して、「ガーデンクラス」という授業を行っています。このクラスは、総合的な学習の時間に関連づけられた国語、理科、社会、算数などの教科横断型の正規の授業として位置づけられています。

さらに、地域住民が主体になって管理運営するコミュニティ・ガーデンを菜園にして、農業を体験したり、新鮮《しんせん》な農産物を分け合ったり、こども食堂に食材を提供したりする取り組みにも期待が集まっています。

●農業を学ぶ場をつくろう

このように、農地を持っていなくても、農家に生まれていなくても、農業をしたいと思った人が身近な場所で生命《いのち》を育み始めています。自然農法を国内外に広めた福岡正信さんは、生前、「国民皆農《かいのう》」という言葉を使って、みんなが農的営みに携《たずさ》わることの重要性を訴《うった》えていました。

今、年代や性別を問わず農業に関心が広がっているのは、決して偶然《ぐうぜん》ではなく、持続可能な社会への移行の通過点なのでしょう。生命《いのち》を育てる暮らしは、人間に自然の営みに即《そく》した生き方を取り戻《もど》す方法を教えてくれます。

それでは、農業をやってみたことのない人たちが、今日から農業を始めたいと思ったら、

コドモ農業大学

埼玉県上尾市の畑で農作業

東京都北区赤羽のカフェで自分たちが育てた野菜を販売

自分たちが育てた野菜で餃子づくり

（すべてコドモ農業大学＠多様な学びプロジェクト）

どこで学べばよいでしょうか。どんな世代でも、どんな性別でも、親が農家でもそうでなくても、所得が高くてもそうでなくても、だれでも、どこでも、いつでも農業を学ぶ機会や農業を営む機会を得られる仕組みをつくることが、いま求められています。

農業を学ぶためには、農家や農業法人で研修をする方法もあります。農業高校や農業大学校、大学の農学部等でも農業に関わる教育をしています。さらに、近年では自治体や農業協同組合、ＮＰＯ法人、市民団体等が連携《れんけい》して、各地で農業塾《じゅく》を開設しています。趣《しゅ》味《み》的農業から本格的な就農まで、さまざまな支援《しえん》体制がありますが、地域によっては学びの場が限られているところもあります。

今後は、だれでも農業を学べる場所や仕組みをつくっていくこと、それも持続可能な開発目標（ＳＤＧｓ）の理念に合った環境《かんきょう》にも社会にもやさしい農業を学べる学校を各地域につくっていくことが求められます。そして、農業を学んだ人たちがスムーズに就農できるようにする支援体制の強化も急務です。

❷ 循環型のアグロエコロジーへの転換

２０００年代から国際的にアグロエコロジー（第４章参照）に対する期待が高まってい

ます。アグロエコロジーは、環境にも社会にもやさしい農と食のシステムであり、**循環《じゅんかん》型社会**の基礎《きそ》と認識されています。つまり、持続可能な開発目標（ＳＤＧｓ）の達成のためには、アグロエコロジーへの転換《てんかん》を進める必要があります。

●さまざまな課題を解決するアグロエコロジー

エセックス大学のプレティ教授らの研究グループは、57か国、２８６地域の比較《ひかく》研究プロジェクト（１２６万農場、３７０万ヘクタール）のデータをもとに、アグロエコロジーの実践《じっせん》によって平均で８割も土地生産性が向上したと２００６年に発表しました。これにより、「環境保全型農業は土地生産性が低い」という見方は一新されました。

さらに、アグロエコロジーの農法によって土壌《どじょう》中の有機物が増加すると、空気中の炭素が地中に固定され温室効果ガスの排出《はいしゅつ》が抑制《よくせい》されることも報告されています。また、アグロエコロジーに転換《てんかん》した地域では、石油等の枯渇《こかつ》性資源からバイオマス等の再生可能エネルギーへの移行も促進《そくしん》されました。加えて、労働力を必要とするアグロエコロジーは、地域の雇用《こよう》創出に貢献《こうけん》したため人口流出を抑制し、コミュニティの生活条件を改善する効果もみられました。プレティ教授らは、持続可能な農業を実現し食料問題を克服《こくふく》するために、地域市場や国内市場と結びついた小規模農業を発展させることを提言しています。

●国連がアグロエコロジーへの転換を呼びかけ

その後、第2章でも紹介《しょうかい》したように、2009年には世界銀行やUNDP、FAO、UNEP、UNESCO、WHO等の国連機関、58か国の政府と約400名の科学者が参加した大型研究プロジェクトの報告書が発表されました。この報告書は、各国政府に対し、化学農薬・化学肥料に依存《いぞん》した工業的農業から生物多様性と地域コミュニティを重視するアグロエコロジーへ早急に方向転換《てんかん》することを求めています。

このころを境に、国連機関は次々にアグロエコロジー推進を訴《うった》えるメッセージを発信しています。そのメッセージは強く明確です。**「手遅《ておく》れになる前に目覚めよ」**。これは、UNCTAD（国連貿易開発会議）が2013年に発表した報告書の題名です。UNCTADもまた、「緑の革命」型の慣行農法から、持続的で再生可能、かつ生産性が高いアグロエコロジーへ移行する必要性を訴えています。さらに、農業を食料生産だけでなく、その多面的機能の視点から評価することも求めています。アグロエコロジーの担い手が家族農業であることから、アグロエコロジーの推進は家族農業支援《しえん》と一体的に行うことが望ましいと考えられます。

国際的にアグロエ
コロジーが呼びか
けられているんだ

●動き出した欧州

すでに欧州《おうしゅう》連合（ＥＵ）や加盟国フランスなどでは、アグロエコロジー推進の農業政策に転換《てんかん》し、農業教育機関でもその実習農場でもアグロエコロジー教育への切りかえが行われています。今、アグロエコロジーは私たちがめざすべき未来の農業として位置づけられていることが分かります。

さらに、ＥＵ諸国で適用される共通農業政策では、農業経営の規模拡大に歯止めをかけて、小規模な家族農業に対する支援《しえん》策を強化する流れに変わっています。

また、２０１９年にＥＵ委員会が発表した気候変動対策**「欧州グリーンディール」**の一環《いっかん》として、２０２０年６月には持続可能な食と農への転換を進める**「農場から食卓《しょくたく》までの戦略」**も発表されました。この戦略では、２０３０年までに農薬（殺虫剤《ざい》・殺菌剤《さっきんざい》）を５割、化学肥料を２割、それぞ

ドイツの「ミツバチを救え」キャンペーン　農薬に依存せず、生物多様性を守るよう呼びかけている

れ削減《さくげん》し、4分の1の農地を有機農業に転換するという野心的な目標を掲《かか》げています。日本も国際的なアグロエコロジー推進と家族農業支援の流れに学ぶ必要があるでしょう。

❸ 次の世代にバトンをつなぐために

●農業をあこがれの仕事に

現在、中学生や高校生の中で将来農業をしたいと考えている人は決して多くありません（第5章参照）。でも、若い世代が就農しない状態が今後もずっと続くと、いつか日本で農業をする人はいなくなってしまいます。私たちが今当たり前に食べている国産のお米や野菜、卵や牛乳、肉などを食べることはできなくなります。林業や漁業をする人も減っていますので、キノコやタケノコ、魚も食べられなくなるかもしれません。また、多面的機能が失われ、さまざまな社会問題が噴出《ふんしゅつ》してしまいます。そんな未来はだれも望んでいないはずです。

私たちは今、農業に対する古い評価を捨てて、「ＳＤＧｓに貢献《こうけん》する未来の職業」として農業を再評価する必要があります。そのためにも、農業をアグロエコロジーへ転換し、名実ともに持続可能な社会の基礎《きそ》としなければならないでしょう。

そうすれば、農業が若い世代にとって魅力《みりょく》のあるあこがれの仕事に生まれ変わるはずです。逆に、そのような農業の未来図を描《えが》けない場合、私たちは社会の未来、自分たち自身の未来を失うことになります。

ロボット技術や人工知能（ＡＩ）が発達する現代では、単調な農作業は人間がしなくてもよいという考え方もあります。しかし、農作業は本当に退屈《たいくつ》な労働でしょうか。それどころか、さまざまな仕事がロボットやＡＩによって代替《だいたい》され、労働時間が短くなったときに、長くなった余暇《よか》を使って人間が楽しみたいと思うのが農業なのです。

農業は作付《さくづけ》のスケジュール管理から経営におよぶ高度に知的な営みであり、また体を動かして汗《あせ》を流す健康的な営みでもあります。農業が中高生のあこがれの仕事として蘇《よみがえ》るとき、私たちの働き方や暮らし、価値観は変わり、新しい社会の地平が拓《ひら》けるでしょう。

●新しい家族のかたちと支える仕組み

家族で営む農業には、家族関係がつきまといます（第5章参照）。もし、家族のだれかが我慢《がまん》をしたり、無理をしなければならない状態が続いたりするようであれば、その家族農業は長く続かないかもしれません。

女性や若者の意見が反映されなかったり、意思を尊重してもらえなかったりすれば、女性や若者はその家から離《はな》れて、農業を受け継《つ》ぐことはないでしょう。新規就農をしたとしても、やはり家族のだれかがつらい思いをしている場合は、いつか継続《けいぞく》が困難になる可能性があります。

しかし、今は家族のかたちも多様になってきました。シングルマザーやシングルファーザーの家庭、再婚《さいこん》、事実婚、養子縁組《えんぐみ》、国際結婚、同性同士のパートナーシップもあります。都市よりも農村では伝統的な価値観や家族観が重視される傾向《けいこう》にありますが、それでも変化の波は農村にも押《お》し寄せています。

お互いに異なる価値観や多様な家族のかたちを認め合い、相手の立場に立って関係性を築くことができるようになれば、農村はもっと住みやすく懐《ふところ》深くなり、多様な人たちが農業の応援団《おうえん》になるでしょう。

そして、地域で農地を守り、コミュニティを支える農家の人たちには、正当な水準の所得保障（補助金の給付）を行うことが重要です。補助金の給付によって農家が努力しなくなるのではと考える人もいますが、現在の水準の自由貿易が続く限り、適切な所得保障なくして農業基盤《きばん》を維持《いじ》することは困難でしょう。

所得保障は正当な財政制度上の措置《そち》として位置づけられる必要があります。農業所得に占《し》める補助金の割合は、フランスが94・7％、イギリスが90・5％であるのに対して、日本は39・1％にとどまっています（2013年）。

❹ 消費者と生産者の連帯と融合

●農家を支える消費者

大きな変化の中にあるのは農家ばかりではありません。消費者もまた大きく変わろうとしています。消費者は、自分や家族の食卓《しょくたく》を整えるために必要な食料を求めているだけではありません。価格や味、新鮮《しんせん》さ、栄養価だけでなく、食品の安全性、だれが生産したのか、どこで生産されたのか、どのような方法で生産されたのか深く考えるようになっています。

自分たちの食卓に届くまでに環境を汚染《おせん》していないか、生物多様性を破壊《はかい》していないか、温室効果ガスを無駄《むだ》に排出《はいしゅつ》していないか、農業生産者や加工・流通過程の労働者は安全に働き、正当な報酬《ほうしゅう》を得ているだろうか、私たちの食卓の陰《かげ》でだれかが涙《なみだ》を流していないだろうか。そうしたことに思いをはせる「倫理《りんり》的消費者」と呼ばれる人たちの日々の選択《せんたく》が、グローバルな食と農のシステムに影響《えいきょう》をおよぼし始めています。

さらに、現在の農家の苦境や食と農のシステムの危機的状況《じょうきょう》を知った消費者の中には、直接、農家を支援《しえん》したいと思って行動する人たちもいます。日本では、公害問題や食品の農薬汚染が社会問題化した1960年代末ごろから、安全な食料を求めるお母さんたちが立ち上がり、無農薬の農産物を農家と直接取引する産消提携《ていけい》が全国に広がりました。消費者は農産物を事前に合意した条件（価格や量、品目、栽培《さいばい》方法等）で購入《こうにゅう》するだけでなく、ときに農作業を手伝う「援農《えんのう》」に出かけました。

このモデルは、1990年代以降に「地域で支える農業」（CSA）として欧米《おうべい》にも爆発《ばくはつ》的に広がり、アグロエコロジーや有機農業を営む農家の多くが実践《じっせん》しています。

また、農家が直接消費者に農産物を販売《はんばい》する**ファーマーズマーケット**（直売所）も人気を博しています。欧州では街角に土曜市や日曜市といった「曜市」が立つ日常風景があり、近年ではオーガニックの曜市も増えてきました。青空市だけでなく、店舗《てんぽ》型の直売所でもオーガニックや無農薬栽培の農産物を扱《あつか》う店が好評です。

オーガニックファーマーズ朝市村（愛知県名古屋市）

日本でも、例えば名古屋では「オーガニックファーマーズ朝市村」が中心部の広場に毎週設置され、早朝に行かないとすぐに売り切れてしまうほど大人気です。この朝市村は無農薬の農産物の販売だけでなく、新規就農の相談窓口にもなっています。これまで就農相談した数多くの人たちが、東海地域で有機農業を始めています。

●生産者になることを選ぶ消費者

直売所や朝市に毎週買い物に来ていていたら、だんだん農家との距離《きょり》が近くなり、ついに自分も農業を始めたくなってしまったという人は少なくありません。消費者であることから一歩抜《ぬ》け出して、家庭菜園から市民農園へ、ついには農地を借りて本格的に農村に移住する人もいます。都市と農村の2地域居住を選び、平日は都市の会社で働きながら、週末は農村で農業を楽しむというライフスタイルも注目されています。農村の美しい棚田《たなだ》風景に魅《み》せられて、田んぼを1枚借りてオーナーになり、田植えや稲刈《いねか》りに通う「棚田オーナー制度」で農業初心者を受け入れている地域もあります。

このように、消費者（コンシューマー）は、じょじょに生産者（プロデューサー）に近づくようになってきました。そのような新しい消費者を「**プロシューマー**」と呼び、遠くなっ

消費者であり、
生産者でもあるから
「プロシューマー」か！

てしまっていた農場と食卓《しょくたく》の距離《きょり》を縮める人として期待されています。プロシューマーとは考え、行動し、変革する人たちです。消費者と生産者の垣根《かきね》を軽々とこえて、新しい生き方をする未来の農家の姿といえるでしょう。

❺ 食と農から始まる社会システムの転換

●東京一極集中から地域自給圏へ

持続可能な社会に移行するためには、小規模な家族農業によるアグロエコロジーがカギになるということを、本書ではお伝えしてきました。また、国連やEUもその方向に舵《かじ》を切っていることもご紹介《しょうかい》しました。しかし、日本でそうした未来を描《えが》くためには、見直さなければならないことがたくさんあります。

例えば、人口の東京一極集中の見直しは避《さ》けて通れない課題です。日本の人口の約3割が東京圏《けん》（東京都、神奈川県、埼玉県、千葉県）に集中しています（2019年）。さらに、東京、名古屋、大阪の三大都市圏の人口は、全人口の過半を占《し》めています。

人口の過密化と過疎《かそ》化の問題は以前から指摘《してき》されていましたが、持続可能な食と農のシステムを構築するためにも、人口の都市集中の流れを変える必要があります。新型コロナウイルス禍《か》は世界的な都市化の流れを見直す契機《けいき》になるかもしれません。

都市に集中した人口を養うために、遠く離《はな》れた産地で大量生産し、大量輸送し、最終的には大量廃棄《はいき》をするシステムを見直し、分散型の生産と消費のシステムを各地域に構築することが重要です。そのためにも、中央省庁や企業《きぎょう》の活動拠点《きょてん》を東京から地方に移転し、関連サービス業とともに地方に仕事を移したり、テレワークや副業、２地域居住、転職、定年帰農等によって田園回帰を促進《そくしん》したりする政策が必要でしょう。農業は、地方移住者にとって有力な生計の手段になると同時に、新しい生き方、新しい暮らしのあり方をもたらす存在になります。

地産地消を進め、地域の食料自給率を高め、資源エネルギーや生態系の地域循環《じゅんかん》を取り戻《もど》しましょう。その単位は自治体の行政区域をこえて、自然の生態系の営みの単位、すなわち河川の流域とすることで、農

ベランダ菜園

業だけでなく林業や漁業、流域の住民、他産業を巻きこんだ取り組みが広がるはずです。
例えば、世界農業遺産（GIAHS）に認定された大分県の「国東《くにさき》半島・宇佐の農林水産循環」では、4市1町1村で伝統的な農林水産業システムを次世代へ継承《けいしょう》しようとしています。

流域単位で食料やエネルギー、医療《いりょう》・介護《かいご》の地域自給圏を再構築し、新しい循環型の経済に移行する道は、SDGsの達成を通過点として、気候変動対応に貢献《こうけん》する持続可能な食と農のシステムを実現し、ひいては持続可能な社会をつくることにつながります。

●自分自身が変わるということ

給食の時間の気づきから始まった食と農のお話は、持続可能な社会への移行という大きなお話にたどりつきました。それでは、その持続可能な社会にはだれが連れていってくれるのでしょうか。

国連が何かを変えてくれるのでしょうか。中央政府や自治体が動いてくれるのでしょうか。有力な政治家はどうでしょうか。産業界が立ち上がるかもしれません。賢《かしこ》い学者たちが先導してくれるでしょうか。農業団体や消費者団体、市民団体がリードしてくれると期待している人もいるでしょう。

でも、もしあなたが「きっとだれかが変えてくれる」と思っているとしたら、おそらくみなさんが大人になったときも、残念ながら持続可能な社会は訪れていません。

　みんなが「自分以外のだれか」が行動するのを待っていては、何も変わらないまま時間は過ぎ、その間にも危機は深まるばかりです。世界に変化を望むなら、まず自分がその変化にならなければならないのです。

　自分ひとりができることは小さいことのように思えます。しかし、ひとりが変われば、家族や友人、先生、地域の人たちに変化の環《わ》が広がります。例えば、ベランダ菜園や果物の収穫《しゅうかく》イベントのように身近な場所から、食と農に楽しみながら関わりを持ってみることは、その第一歩になります。

　一人ひとりが連帯すれば、それはやがて大きな大きな変革の波になります。食と農から始まる社会システムの転換《てんかん》について考え、行動する。その旅はすでに始まっています。

おわりに

国連の持続可能な開発目標（ＳＤＧｓ）に関する話題を毎日のように耳にします。それだけ今私たちが生きている世界は「持続可能ではない」ともいえます。本書を読んだみなさんは、現代の食と農のあり方もまた「持続可能ではない」ということを知っています。これは、私たちの文明のあり方が曲がり角にきていることを表しています。

国連児童基金（ユニセフ）の調査によると、先進国・新興国38か国のうち、日本は「子どもの精神的な幸福度」が37位でした（２０２０年）。日本の子どもたちは経済的には比較《ひかく》的恵《めぐ》まれ、身体的健康では38か国中1位だったにもかかわらず、生活の満足度が低く、いじめなどによる自殺率が高かったためです。

食と農の問題と子どもの幸福度は、一見すると直接関係ないようにみえるかもしれません。しかし、どちらも背景には過度な競争を促《うなが》す社会の仕組みや、自然の生態系の一部としての人間や動植物をかえりみない経済中心の価値観があります。

今求められているのは、食と農のあり方を変えることだけではなく、社会システム全体を組みかえていくような「社会の全身治療《ちりょう》」です。私たちは、これまでの常識や価値観を見直し、新しい社会をつくることができます。

国連「家族農業の10年」は「食と農から新しい社会をつくる運動」であり、小規模・家族農業とアグロエコロジーはそのカギとなるでしょう。

あとがき

私が国連「家族農業の10年」の運動に関わることになったきっかけは、小規模農業に関する国連の報告書（２０１３年）の執筆チームに参加したことでした。そのとき、国際社会における食と農に関する議論が日本にはほとんど伝わっていないことを知りました。

世界では小規模・家族農業の価値が見直されていること、そしてアグロエコロジーと呼ばれる環境と社会にやさしい食と農のあり方に転換する動きが強まっていることを日本にも知らせるために、同じ問題意識を持つ仲間とともに、小規模・家族農業ネットワーク・ジャパン（ＳＦＦＮＪ）という組織を２０１７年に立ち上げました。

その運動には予想以上の共感が寄せられ、国連「家族農業の10年」が始まった２０１９年には農林漁業者や市民、研究者らが集う市民団体として家族農林漁業プラットフォーム・ジャパン（ＦＦＰＪ）が誕生しました。ＦＦＰＪは国連「家族農業の10年」の趣旨を日本に伝え、持続可能な社会への移行を後押しするための活動を展開しています。

本書を世に送り出すことができたのは、こうした運動を一緒に担ってきた仲間から多くのことを教えられたからにほかなりません。また、運動をするなかで全国各地から講演に呼んでいただき、その度に日本で家族農林漁業を営む方々、また家族農林漁業を応援する方々からたくさんのご質問やご意見をいただきました。本書はその出会いと対話から生まれました。ここに記して心からお礼を申し上げます。

そして、「未来の食と農のあり方を決める子どもたちに、メッセージを送りたい」という私の願いをかたちにしてくださった、かもがわ出版の伊藤知代さんに厚く感謝申し上げます。原稿の最初の読者であった伊藤さんは、いつも新鮮で的確なご意見を送ってくださり、おおいに執筆の励みになりました。また、佐々木こづえさんには、伝えたいメッセージをイメージ以上の素晴らしい挿絵にしていただきました。心から感謝の意を表します。

食と農のあり方を問い直し、新しい社会を切り拓いていくみなさんの歩みのかたわらに本書があれば、著者として望外の喜びです。

主要参考文献（アルファベット順）

有吉佐和子（１９７５）『複合汚染』新潮社。

FAO (2020) *The State of Food Security and Nutrition in the World*. Rome: FAO.

FAO (2018a) *FAO's Work on Family Farming*. Rome: FAO.

FAO (2018b) *The 10 Elements of Agroecology: Guiding the Transition to Sustainable Food and Agricultural Systems*. Rome: FAO.

FAO (2014) *Family Farmers: Feeding the world, caring for the earth*. Rome: FAO.

FAO & IFAD (2019) *Putting family farmers at the centre to achieve the SDGs*. Rome: FAO & IFAD.

古沢広祐（２０２０）『食・農・環境とＳＤＧｓ』農文協。

IAASTD (2009) *Agriculture at a Crossroads: International Assessment of Agricultural Knowledge, Science and Technology for Development*. IAASTD.

IPCC (2018) *Global warming of 1.5℃*. IPCC.

小池恒男・新山陽子・秋津元輝編（２０１７）『新版キーワードで読みとく現代農業と食料・環境』昭和堂。

国連世界食料保障委員会専門家ハイレベル・パネル（２０１４）『家族農業が世界の未来を拓く―食料保障のための小規模農業への投資―』家族農業研究会／㈱農林中金総合研究所共訳、農文協。

モントゴメリー・デイビッド、ビクレー・アン（２０１６）『土と内臓―微生物がつくる世界―』築地書館。

農民運動全国連合会編著（２０２０）『国連家族農業10年』かもがわ出版。

Pretty J. 2009. Agroecological Approaches to Agricultural Development. *World Development Report*.

Pretty J., A. Noble, D. Bossio, J. Dixon, R. E. Hine, P. Penning de Vries, and J. I. L. Morison (2006) Resource conserving agriculture increases yields in developing countries. *Environmental Science and Technology* 40 (4): 1114-1119.

ロセット・ピーター、アルティエリ・ミゲル（２０２０）『アグロエコロジー入門―理論・実践・政治』受田宏之監訳、受田千穂訳、明石書店。

塩見直紀（２００３）『半農半Ｘという生き方』ソニーマガジンズ。

スティグリッツ・ジョセフ（２００６）『世界に格差をバラ撒いたグローバリズムを正す』楡井浩一訳、徳間書店。

小規模・家族農業ネットワーク・ジャパン編（２０１９）『よくわかる国連「家族農業の10年」と「小農の権利宣言」』農文協。

UNCTAD (2013) *Trade and Environment Review 2013: Wake Up Before It Is Too Late, Make Agriculture Truly Sustainable Now for Food Security in a Changing Climate*. UNCTAD.

●著者プロフィール

関根　佳恵（せきね・かえ）

愛知学院大学経済学部准教授（農業経済学）。
1980年横浜市生まれ。高知県育ち。2007〜10年フランス国立農学研究所研修員。11年京都大学大学院博士課程修了。博士（経済学）。13年に国連世界食料保障委員会専門家ハイレベル・パネルの報告書執筆（邦訳『家族農業が世界の未来を拓く』農文協、2014年）。16年より現職。17年に小規模・家族農業ネットワーク・ジャパン（SFFNJ）を有志と設立。18年に国連食糧農業機関（FAO）ローマ本部の客員研究員を務めた。19年より家族農林漁業プラットフォーム・ジャパン（FFPJ）常務理事。近著に『よくわかる国連「家族農業の10年」と「小農の権利宣言」』（共著、農文協、2019年）など。

写真提供／著者（p14、p22、p53、p65、p88、p89、p106、p108、p134）、菅野正寿（p15、p42）、La Via Campesinaウェブサイト（p51）、一般社団法人エディブル・スクールヤード・ジャパン（p123）、多様な学びプロジェクト（p125）、BUNDウェブサイト（p129）

●装丁・イラスト／佐々木こづえ
●DTP／小國文男

13歳からの食と農
家族農業が世界を変える

2020年11月6日　初版第1刷発行

著　者—関根 佳恵
発行者—竹村 正治
発行所—株式会社かもがわ出版
〒602-8119　京都市上京区堀川通出水西入
TEL：075-432-2868　FAX：075-432-2869
振替　01010-5-12436

印刷所—シナノ書籍印刷株式会社

ISBN　978-4-7803-1120-4　C0036